Nóta Buíochais

Táim go mór faoi chomaoin ag Mícheál Ó Ruairc a ceapadh mar Oide dom faoi scéim Bhord na Leabhar Gaeilge, as ucht a chabhair agus a fhoighne. Tá mo bhuíochas ag dul freisin do Phádraig Ó Cofaigh agus a bhean chéile Áine a léigh an lámhscríbhinn agus a thug a dtuairimí agus a moltaí go fial. Gabhaim buíochas ó chroí le Cois Life a ghlac le scéalaí úr tagtha ar an saol.

I gcuimhne ar mo mháthair
Sadhbh Ní Mhurchadha

1

Mario marbh! Ní raibh coinne ag Thanielle lena leithéid de scéal. Mario marbh i dtionóisc bhóthair! Ba dheacair géilleadh dó, ach ba ar éigean a d'éirigh léi cúl a choinneáil le gáire. Chiallaigh an teachtaireacht go raibh athrú suntasach le teacht ar a saol.

Leag sí an fón uaithi.

Cad a tharlódh sa bhialann anois? Bheadh deireadh lena post ar aon nós. Mura mbeadh úinéir úr toilteanach go leanfadh sí ag freastal ar bhoird. Dá mba fhear óg dathúil féin a thiocfadh, seachas an dobhrán dochraideach a bhí ann roimhe.

'Gnó bia é seo,' a dúirt sé léi an chéad lá riamh sa *Ristorante Génova*, 'agus ní cheadaítear boladh bréan d'aon chineál. Ná bíodh aon bholadh uaitse ach boladh an níocháin.' Déarfadh Thanielle gur mhór an trua é nár chleachtaigh Mario a mhana féin, fiú dá mbeadh scuaibín fiacla féin aige.

Mario marbh, agus ise beo. Dáiríre, ní raibh a shárú air sin, pé deacracht a bheadh aici post úr a fháil.

D'fhill Thanielle ar an gcúram a bhí idir lámha aici nuair a bhuail an guthán. Thaitin bláthanna go mór léi. Buíochas dá máthair bhí gairdín fíoraoibhinn ag baile. Thugadh sí bláthanna úra isteach léi gach maidin chun iad a chur i mbláthchuacha beaga ar na boird. Ba é seo an lá deireanach a mbeadh na boird agus leacacha na bhfuinneog á bhfeistiú aici. Ba chuma le Mario bláthanna ann nó as. Ní chun féachaint ar bhláthanna a thagadh daoine isteach sa bhialann a deireadh sé, ach chun béilí a ithe.

Seanteach cónaithe a bhí ann tráth den saol, agus níor deineadh puinn cóirithe air le fada. Bhí an gorm stálaithe céanna ar na ballaí agus an bán ar an tsíleáil imithe i léithe anois le fada an lá.

Bhí na seanbhoird agus na seanchathaoireacha céanna ann ó thosach. Níor mhór píosaí beaga adhmaid a shá isteach faoi chosa cúpla ceann de na boird chun iad a choimeád socair ar an urlár. Scaraoidí déanta as éadach ola a bhí leata ar na boird. Dar le Mario go mbeadh costas rómhór ar scaraoidí éadaigh, agus nach bhféadfaí iad a choimeád glan ar aon nós, agus mar sin de. Bhí fáilte roimh na bláthanna más ea.

Bhí radharc breá amach ar an bhfarraige ón seomra céanna. Fiú lá fuar mar seo agus báisteach ag bagairt, bhí na marcaigh misniúla le feiscint ar a gcláracha ag fanacht le briseadh na dtonn a thabharfadh iad ar luas chun trá, agus amach leo arís ansin ag faire agus ag fanacht leis an gcéad mhórthonn eile. Tonnta Biarritz agus daoine ó gach áit ar domhan i mbun a rogha spóirt a chleachtadh.

Dhéanfadh sí cupán láidir caifé di féin. Ní raibh an dara céim tugtha aici i dtreo na cistine nuair a chuala sí an guth i mbéal an dorais.

'Bonjour.'

Ba mhaith a d'aithin sí glór Pierre. Bhí sé ag teacht go dtí an *Ristorante* le cuimhne na gcat, fad a bhí sí féin ag obair ann. Bhí glasraí úra an lae i gcliabhán plaisteach crochta ar leathlámh leis. Cuma ghealgháireach a bhíodh riamh air agus é lán de chaint.

D'fhéach sé timpeall an tseomra agus a shúile ag cuardach.

'Ná habair liom gur thóg *a shoilse* lá saoire dó féin? Aidhe, cad atá á rá agam? Ní dhéanfadh Mario Vanucci a leithéid. Tá sé ar a bhealach chugainn gan amhras. Céad caoga ciliméadar san uair sa *Cinquecento* is dócha. Beidh sé anseo faoi am lóin. *Au revoir.'*

Agus thug sé a aghaidh amach an doras.

'Pierre, ní bheidh Mario ag teacht.'

'Tá sé tagtha cheana féin? B'in é é? Á, sínte siar ar a leaba tar éis an aistir? Ba chóir dó carr maith mór a thógáil ar cíos dá thuras bliantúil. Dá mbeadh ciall aige. *À bientôt.'*

'Pierre, ná himigh. Níor chóir dom na glasraí sin a ghlacadh uait. Ní bheidh Mario ag teacht. Bhí tionóisc bhóthair aige ar a bhealach abhaile déanach aréir.'

'Seo é do dheis, más ea, a thaisce. Cruthaigh don saol mór gur féidir leat féin gnó an *Ristorante* a dhéanamh beag beann air siúd. Ní hé seo an t-am is gnóthaí sa bhliain agaibh. Cathain a bheidh sé ar ais chugat? Gan mhoill, gan dabht. Tionóisc bhóthair a deir tú? Ar gortaíodh é ar aon bhealach?'

'Tá Mario marbh, Pierre. Tá sé fuar marbh. Fuair sé bás i dtionóisc bhóthair aréir.'

'Mario marbh? Ní fhéadfadh sé sin a bheith fíor. Tá an turas sin á dhéanamh ag Mario bliain i ndiaidh bliana le scór bliain. Cé a dúirt leat go raibh sé marbh?'

'An *notaire*, Jean Bouygues. Anois díreach ar an bhfón. Táim ag dul chuige san oifig tráthnóna. Beidh an *Ristorante* le dúnadh. Ní féidir liomsa na glasraí a ghlacadh uait.'

'Má tá Mario básaithe, nach tusa atá i mbun an tí anois? Mo chomhairle duit, Thanielle, ná leanúint leis an ngnó. Coinnigh ort. Ní raibh aige ach a mháthair agus tú féin. Nach é Mario athair do thriúr leanaí? Tapaigh do dheis, a thaisce. Bíodh na glasraí agat. Caithfeadsa bogadh. Go n-éirí leat.'

Bhain an tagairt fhuarbhruite do na leanaí siar aisti. Ní raibh na leanaí mar ábhar comhrá os comhair an tsaoil riamh aici, agus níor dhein duine ar bith tagairt dóibh sa *Ristorante* riamh cheana.

D'ardaigh sí na glasraí agus thug sí isteach sa chistin iad. Mar ba ghnách le Pierre bhí meascán maith glasraí sa chiseán. Bhí meacain rua, oiniúin, scailliúin, prátaí, gairleog, agus leitís – idir ghlas agus dhearg. Go breá ar fad. Thaitníodh an leitís úr i gcónaí leis na custaiméirí. Ba chuma rud ar bith eile a bheith in easnamh ach chaithfeá leitís a bheith ar fáil dóibh. Cad faoi thrátaí? Ní raibh aon radharc orthu sa chiseán. Chuaigh sí go dtí an cófra. Ba leor a raibh ann. Thiocfadh sí slán.

Bhí sé ag báisteach amuigh sa tsráid. Ní raibh cuma ródheas ar an lá. Ní bheadh líon mór daoine ag gabháil thart. Mar sin ab fhearr é. Ní bheadh an oiread sin oibre le déanamh aici am lóin, dáiríre. D'fhéadfadh sí teacht slán ach an cloigeann a choimeád.

Seabhdar ab fhearr a chur ar fáil. Bhí dóthain sliogéisc agus éisc sa reoiteoir do dheichniúr nó mar sin, agus bhí glasraí úra aici freisin anois. Bhí neart *baguettes* aici. Mar ba ghnách léi gach maidin ar a bealach isteach chun na hoibre thug sí léi deich gcinn de *baguettes* ón *boulangerie*. Ach inniu ní bheadh aon ghá aici le breis tráthnóna mar nach mbeadh an *Ristorante* á oscailt arís tar éis di na heochracha a thabhairt d'fhear an dlí.

Bhí uaineoil sa reoiteoir. D'fhéadfadh sí *plat du jour* a chur ar fáil freisin ar a mbeadh *gigot* uaineola, agus a cúig nó sé de phíotsaithe a réiteach dá mbeadh tóir orthu.

Bhí baol ann go mbeadh sé ag stealladh báistí tar éis lóin. Dá mbeadh, d'fhliuchfaí go craiceann í ar a bealach go dtí oifig an *notaire* ar *Rue Guy Petit.* Bhí clagarnach freisin ann an oíche úd naoi mbliana roimhe sin, an chéad uair riamh a chuir Mario ina luí uirthi gan dul abhaile sa bháisteach. Ba mhinic a mhachnaigh sí ar an gcinneadh cinniúnach a dhein sí an oíche a thabhairt ina theannta. Bhí sí traochta tar éis an lae. Ní raibh neart inti tabhairt faoin tsiúlóid abhaile sa bháisteach. É ródhéanach don bhus, agus Mario rósprionlaitheach chun íoc as tacsaí.

Trí ráithe níos déanaí a shuigh sí isteach i dtacsaí den chéad uair ina saol, nuair a tugadh ón mbialann go dtí an t-ospidéal í. Rugadh leanbh di dhá uair an chloig níos déanaí. Ní raibh athair an linbh in éineacht léi, ná a máthair féin, ná cara ar bith a thabharfadh misneach di. B'uaigneach an fhulaing aici é. Ach bhí a maicín mánla féin aici, agus bheadh anois go deo.

Dá mbeadh sé léi inniu thabharfadh sé cabhair di sa *Ristorante*, an buachaillín beag. Ach lá scoile aige ab ea é. Dhéanfadh sé a bhealach abhaile ón scoil go dtí a sheanmháthair. Bheadh béile ullamh aici siúd dó, agus finscéal iontach éigin le hinsint aici i dtaobh eachtraí Asterix agus Obelix i gcoinne na Rómhánach b'fhéidir. Thaitníodh na finscéalta go mór le Paulo beag.

D'éalaigh an mhaidin go tapa. In ainneoin na báistí tháinig roinnt mhaith daoine chun lóin. Ní dhearna duine ar bith acu gearán léi, ach d'ith siad agus d'ól siad go craosach.

2

Bhí sé deich nóiméad tar éis a dó nuair a chroch Thanielle an fógra *Fermé* ar an doras, agus chas sí an eochair sa ghlas. Níor ligeadh duine ar bith eile thar táirseach isteach ansin. Bhí sí ag súil gur leor leathuair an chloig dóibh siúd a bhí istigh a mbéilí a chríochnú, agus ansin réiteodh sí í féin le haghaidh an turais go dtí an *notaire*. Deich nóiméad siúlóide ar a mhéid go dtí *Rue Guy Petit*. Ní oirfeadh sé di a bheith déanach.

Chas sí cnaipe an gháis ar an sorn arís agus í ag gabháil thart, den tríú huair as a chéile. Sheas sí ar stól féachaint an raibh aon rian de scáth báistí in airde ar chófra. Ní raibh, ná istigh faoi ach an oiread. An seomra codlata b'fhéidir? Bhrúigh sí doras an tseomra isteach. Bhí an leaba mhór gan chóiriú. Bhraith sí crith imeaglach ag gabháil tríthi agus í ag féachaint air. Ar a laghad, as seo amach, ní bheadh Mario Vanucci mar chuid dá saol.

D'oscail sí doras an vardrúis. Os a comhair amach bhí a sheanchasóg mhór i gcoinne fuacht an gheimhridh, dhá threabhsar, trí léine. Agus féach, bhí an diabhal de scáth báistí ar crochadh ón trasmhaide. Bhí aici. Tharraing sí chuici é.

Thíos ar urlár an vardrúis chonaic sí pacáiste a raibh an páipéar agus an ruóg gan oscailt air. Ní raibh puinn ama fágtha aici, ach ba mhó a cuid fiosrachta ná rud ar bith eile. Srac sí siar cúinne den pháipéar. Culaith dheas, nuacheannaithe do bhuachaill óg a bhí ann. Baineadh geit aisti. Tháinig deoir bheag lena súil. Le náire, dhún sí doras an vardrúis go tapa agus rith. Bheadh sí déanach. De shodar beag thug sí aghaidh amach ar an tsráid.

Ní raibh sé ag cur chomh trom is a bhí. Tar éis roinnt céimeanna thug sí sracfhéachaint amach faoi fhothain an scátha báistí.

'Bhuel, slán leat, a *Ristorante Génova,*' a d'fhógair sí. Ní déarfaidh mé mo mhallacht ort, ach ní chuirfead mo bheannacht leat ach an oiread.'

Ní raibh sé riamh de nós ag Thanielle mionscrúdú ná dianmhachnamh a dhéanamh uirthi féin. Go deimhin ní raibh am aici chuige. Bhí easpa féinmhuiníne uirthi, ach anois, ar bhealach, b'fhacthas di go bhféadfadh sí a ceann a ardú os comhair an tsaoil, oideachas de chineál éigin a chur uirthi féin b'fhéidir, fiú turas go Páras i gceann bliana chun an Túr Eiffel a fheiceáil. Cá bhfios cad a dhéanfadh sí amach anseo?

Thuig sí nár bhean rídhathúil í, ach bhí sí slachtmhar inti féin, agus bhí sé de nós aici a cuid gruaige agus í féin a ní gach lá, 'ó bhonn go baitheas', faoi mar a d'ordaigh Mario di. Nuair a d'fhógair Mario nach raibh aon bholadh le bheith uaithi seachas boladh an níocháin níor thuig sí i gceart cad a bhí i gceist aige. Níos déanaí sa tráthnóna mhol a máthair di an tobac a sheachaint, agus gan cumhrán a úsáid.

Ghlac sí le comhairle a Maman. Níor chuir sí toitín lena béal riamh ina saol, agus ní raibh buidéilín beag cumhráin riamh ina mála pearsanta aici, ná sa bhaile ar sheilf nó ar bhord maisiúcháin. Má rith sé riamh le Mario gur mhaith le bean ar bith, í féin san áireamh, buidéilín beag cumhráin *St Jean-de-Luz* a fháil ó fhear mar fhéirín beag, ní dúirt sé dada faoi, agus gan amhras níor dhein sé beart.

Obair ar fad ab ea saol Mario - ó mhoch maidine go meán oíche, agus níos moille fós, ar ndóigh, dá mbeadh deoraí ar strae a dteastódh blúire le hithe uaidh.

Ba é an scéal céanna aige é seacht lá na seachtaine, gach seachtain den bhliain, bliain i ndiaidh bliana - ach amháin an 14 Feabhra. Ar an lá cinniúnach sin ní osclaítí doirse an *Ristorante Génova*. Le héirí gréine bhíodh píotsaithe á gcócaráil ag Mario agus iad á gcur i mboscaí aige, agus ansin líonadh sé an *Fiat Cinquecento* go boimbéal. Ar éigean a d'fhágadh sé slí dó féin i suíochán an tiománaí, gan trácht ar radharc a bheith aige ar an trácht ar a chúl.

Mar fhreagra ar an gceist nár cuireadh riamh air, d'fhógair sé lá áirithe gurbh é lá breithe a mháthar é, agus nach raibh bean aige faoi rún i ngan fhios don saol ar mhian leis a bheith ina teannta Lá Fhéile San Valentino ná rud ar bith seafóideach mar sin. Lá breithe *Mama Mia* a bhí ann. B'in uile.

Níorbh fhear cainteach é Mario, ach d'fhógair sé freisin an lá áirithe úd nárbh as ceantar *Génova* dó. Ní dúirt sé níos mó ná sin. Go dtí an lá inniu féin, ní raibh aon bhlúire breise eolais ar fáil faoi Mario. Ní raibh de shaol aige ach an *Ristorante* a choimeád sa tsiúl, agus an turas bliantúil ar an 14 Feabhra ar a mháthair, pé áit ar domhan a raibh cónaí uirthi siúd. Bhí Mario marbh anois. Bhí a thuras deireanach go dtí *Mama Mia* curtha de aige.

Níorbh í máthair Mario an chéad chloch ar a paidrín ag Thanielle, áfach, ach cúram a Maman féin. Bhí a máthair in aois a dhá bhliain agus leathchéad, agus ní raibh an tsláinte go maith aici, rud ab amhlaidh ón lá ar tháinig a leanbh aonair ar an saol.

Ar chuis éigin thagadh scaoll mínádúrtha fúithi nuair a d'fhágadh sí comharsanacht a tí chónaithe, agus chaithfeadh sí filleadh abhaile láithreach. Faraor, níor leigheasadh an scéal le caitheamh na mblianta. Ní raibh ar a cumas bogadh amach ag obair ach an oiread ná fiú dul ar thóir oibre. Dá bhrí sin bhí teacht isteach an teaghlaigh ag brath go huile agus go hiomlán ar Thanielle.

3

Mar thoradh ar chéileachas aon oíche a tháinig Thanielle ar an saol. Sasanach ab ea a hathair a bhí tagtha go Biarritz chun cluiche rugbaí a imirt, agus a d'éalaigh leis abhaile tar éis a ghaisce ar leaba na himeartha.

Ba mhinic a chuimhníodh Thanielle go rachadh sí ar thóir a hathar. Deireadh a Maman i gcónaí go rabhadar i ngrá le chéile, ach ba dheacair sin a chreidiúint. Is ar éigean a bhí aithne acu ar a chéile. Mar sin féin an gcuimhneodh sé in aon chor ar mháthair Thanielle faoin am seo, nó an mbeadh aon spéis aige in aithne a chur ar Thanielle, a iníon féin?

Bhíodh sé de shíor ina haigne aici go dtabharfadh sí sciuird ar Mhanchain Shasana, áit dhúchais a hathar, ach go dtí seo ní raibh deis aici a leithéid a dhéanamh. Dá mba rud é go n-éalódh sí léi go Sasana, nó go háit ar bith, cé a déarfadh go mbeadh a slí mhaireachtála *Chez Mario* ann fós ar fhilleadh abhaile di? Thuig sí go maith nach bhféadfadh sí dul sa seans, agus ní dheachaigh. Agus ní raibh sé de mhisneach aici iarraidh ar Mario saoire ghearr a thabhairt di.

B'fhéidir anois go dtapódh sí an deis. Dáiríre, níor chóir go mbeadh sé ródheacair teacht ar a hathair. Bhí sé ar fhoireann rugbaí a d'imir in éadan Biarritz sa bhliain 1975, agus gan amhras, ní raibh ach cúig dhuine déag ar an bhfoireann. Ní bheadh sí ag cuardach i measc míle nó deich míle fear.

Nathy nó Nathaniel a bhí mar ainm baiste air. Níorbh eol di a shloinne agus níorbh eol dá máthair é, ach níor ghá é. Dá mbeadh an t-ádh léi ba chóir go mbeadh sé éasca teacht air. An-seans go raibh sé fós sáite i gcúrsaí rugbaí i Manchain.

Ní raibh puinn Béarla ag Thanielle, seachas na focail a bhí foghlamtha aici thar na blianta ó chustaiméirí ón mBreatain a thagadh isteach sa bhialann agus iad ar saoire i rith an tsamhraidh. Bhí roinnt mhaith Iodáilise aici ceart go leor, mar bhíodh leisce ar Mario Fraincis a labhairt, agus is í an Iodáilis a bhíodh eatarthu féin mar theanga. Bhí sé ráite ag a Maman léi go raibh roinnt Fraincise ag a hathair. Ba leor sin di.

Ní raibh sí ag lorg rud ar bith uaidh, ach dá mba fhear deas é a hathair, b'fhéidir go dtabharfadh sé cuairt orthu. Dá mba fhear saibhir é, agus go bhfeicfeadh sé nach raibh siad go maith as b'fhéidir go dtabharfadh sé bronntanas beag airgid dóibh. Ba mhór acu a leithéid.

Níorbh eol di ar bheo nó ar mharbh dá hathair, nó an raibh sé pósta, nó gan a bheith. B'fhéidir gur droim láimhe amach is amach a thabharfadh sé di. Níor mhór di a bheith dóchasach. B'fhéidir gur mhithid paidir bheag a rá.

Chuimhnigh sí arís ar Mario. Bheadh paidreacha i gceist dó siúd anois ar ndóigh, cé nár luaigh an *notaire* a leithéid ar an bhfón chuici ar maidin. Bhain a chúram siúd le hairgead agus le maoin an tsaoil a cheap sí, agus faoi dhaoine eile a bhí paidreacha, tórraimh, sochraidí, aifrinntí na marbh, bláthanna, agus uaigh.

Bhí sceon ag teacht ar Thanielle anois. Bheadh sise sáite ina lár seo go léir. Bheadh daoine ag croitheadh láimhe léi, ag déanamh comhbhróin léi. Bheadh sé sin go léir roimpi anois. Conas a thiocfadh sí tríd sin? Ba é fírinne an scéil gan amhras nach raibh aon ghaol aici le Mario in aon chor.

An caidreamh bunúsach a bhí eatarthu ná an gaol a bhíonn idir aon fhostóir agus a fhostaí - ó sheachtain go seachtain. Dualgas ar an bhfostaí oibriú go dian dícheallach chun leasa an fhostóra, agus dualgas ar an bhfostóir tuarastal na seachtaine a íoc go rialta agus go pras gach oíche Shathairn. Chaithfeadh sí a admháil nár theip Mario am ar bith ina dhualgais, ach mar sin féin, ní raibh sé riamh le maíomh aige ach an oiread nach bhfuair sé a luach. An craiceann agus a luach, go deimhin.

Ach anois ós rud é go raibh sochraid i gceist, b'fhéidir nach uirthi a bheadh an cúram beag ná mór. Nach raibh máthair ag Mario? Is é sin, dá bhféadfaí an scéal sin a chreidiúint. Ach cá raibh cónaí uirthi? Bheadh a fhios sin ag an *notaire*.

Níor mhór di a bheith ag faire amach do phost úr di féin anois. D'fhéadfadh sí maireachtáil roinnt seachtainí gan tuarastal a thuilleamh, is dócha, ach theastódh post buan uaithi taobh istigh de mhí nó mar sin. Mura bhfaigheadh sí ceann bheadh an taisce bheag airgid a bhí curtha ar leataobh aici imithe le gaoth.

An t-aon taithí oibre a bhí ag Thanielle ná mar bhean freastail sa *Ristorante*. Ní raibh sí cáilithe chun obair ar bith eile a dhéanamh. Ní fhéadfadh sí a rá gur cócaire gairmiúil í, fiú agus cúnamh tugtha aici do Mario sa chistin le blianta fada.

Agus fiú dá mba rud é go raibh cáilíocht mar chócaire aici, cá mbeadh post ar fáil an tráth seo bliana? An 15 Feabhra. Ní raibh séasúr na dturasóirí tagtha fós, ná aon rian de. Ní raibh ach fíorbheagán de na bialanna sa bhaile ar oscailt. Lán láimhe de chuairteoirí a bhí ag gabháil thart. I lár an tsamhraidh, bheadh an-seans ar obair a fháil a d'oirfeadh di, agus dá mbeadh an t-ádh léi ansin b'fhéidir go mairfeadh a post i rith an gheimhridh.

Sé bliana déag a bhí sí sa *Ristorante*. Sé bliana déag an samhradh beag seo, nárbh ea? Bhí sí in aois a fiche a naoi i mí na Nollag seo caite, agus bhí sí ag tarraingt ar a ceathair déag nuair a thosaigh sí i samhradh na bliana 1989. Sciar mór dá saol dáiríre.

4

Nuair a shroich Thanielle oifig Monsieur Bouygues ar Shráid *Guy Petit* ní raibh sé tagtha ar ais fós tar éis lóin.

'Ní bheidh sé i bhfad,' a dúirt an fáilteoir léi. 'Tá a fhios aige go bhfuil tú le bheith anseo. Suigh isteach sa seomra feithimh. Ar mhaith leat caifé?'

Fiú is gur bhreá léi caifé ní raibh sé de mhisneach aici é sin a rá. D'fhreagair sí go múinte nach raibh gá aici lena leithéid. Is ansin a rith sé léi nach mbeadh gnó ar bith ag an *notaire* di ach na heochracha a ghlacadh uaithi.

Labhair sí amach.

'Níl le déanamh agam ach eochracha an *Ristorante*

Génova a thabhairt don uasal Bouygues. Is féidir liom iad a fhágáil agatsa.'

'Ná dein. Ná dein. Coinnigh tusa iad,' a fuair sí mar fhreagra. 'Tá i bhfad níos mó ná sin i gceist. Caithfidh tú a bheith foighneach go ceann tamaillín. Tá a fhios ag Monsieur Bouygues go bhfuil tú le bheith anseo ar a leathuair tar éis a trí. Beidh sé anseo gan mhoill.'

Fágadh í béaloscailte.

I bhfad níos mó ná sin i gceist! Cad a bheadh i gceist, seachas na heochracha? Socruithe sochraide is dócha. Thaitneodh go breá léi dá gcuirfí Mario faoin gcré gan ise a bheith páirteach sa ghnó ar chor ar bith.

Bhí an teas lárnach sa seomra feithimh casta suas go hard. Bhí gá lena leithéid inniu thar lá ar bith eile. Bhí an bháisteach ag titim fós, agus an spéir lán de. Ba mhór an chabhair an teas lárnach chun fuacht searbh an lae a ruaigeadh as a cnámha. Bhí sé ina haigne aici go bhféadfadh an saol feabhsú go mór di, anois ó bhí Mario marbh. Ach teacht isteach a bheith aici ó fhoinse éigin chun costais a ghlanadh, dáiríre bheadh sí toilteanach rud ar bith ar domhan a dhéanamh.

Bhí cairde aici ón scoil a d'fhreastail ar chúrsaí oideachais oíche, agus d'éirigh leo siúd dul chun cinn a dhéanamh ina gcuid post. D'fhéadfadh sí féin a leithéid chéanna a dhéanamh anois. Dhein sí gáire beag ina haigne féin. B'fhéidir go bhfreastalódh sí ar chúrsa rúnaíochta, agus go bhfaigheadh sí post cosúil le post an fháilteora anseo in oifig an uasail Bouygues. Nár mhór an gaisce é sin, dá dtarlódh sé!

Bhraith sí faoiseamh ina croí toisc nach mbeadh Mario ag filleadh. Sin ráite, agus lena cheart a thabhairt dó, shamhlaigh sí nár mhór di tréithe áirithe inmholta ann a aithint. Ón lá a tháinig Paulo ar an saol, cé nach ndeachaigh Mario riamh chun a mhac a fheiceáil, cheannaigh sé a chuid éadaí dó, agus chinntigh sé go raibh flúirse bia aici féin ar dhul abhaile di gach oíche. Ar ndóigh níor oir píotsaithe, glasraí nó iasc don bhuachaill óg nuair a bhí sé sa chliabhán, ach d'oir siad di féin agus dá Maman, agus d'fhág sin airgead do bhia naíonáin. Ba é an scéal céanna ag Mario é nuair a tháinig Gino agus Jiulietta ar an saol.

Is ansin a chuimhnigh Thanielle ar an gculaith i mbun an vardrúis. Dáiríre d'fhéadfadh sí í a thabhairt léi, ach ní bheadh na heochracha aici tar éis an lae inniu. Gan amhras ar bith, ba chulaith nua do Paulo a bhí ann.

Ní fheadair sí cén míniú a bheadh aici dá leanaí nuair a chuirfidís cruacheisteanna uirthi i dtaobh a n-athar agus iad fásta. Ar ndóigh bhíodh ceisteanna á gcur acu anois is arís cheana féin, ach b'fhurasta iad a shásamh le leathfhreagra.

An rud ba thábhachtaí ó thaobh na leanaí de, ná go gcaithfeadh sí a chinntiú go gcuirfí oideachas maith orthu. Níor mhór deireadh a chur leis an nganntanas sa teaghlach, dá bhféadfaí é in aon chor. Níor theastaigh uaithi go mbeadh duine ar bith acu go deo arís ag brath ar fhostóir mar Mario Vanucci. Rith sé léi go mb'fhéidir go mbeadh garmhac aici a cháileodh mar dhlíodóir, agus go mbeadh oifig dá chuid féin aige anseo ar *Rue Guy Petit* i measc móruaisle an bhaile. Briseadh amach ó shaol an ghanntanais a bheadh ann dóibh go léir dá dtarlódh sé sin.

Bhí a súile leathdhúnta agus í ag brionglóidigh léi i dteas cluthair an tseomra feithimh nuair a chuala sí cnag bog ar an doras. Sháigh fear ard dathúil a chloigeann isteach. Bhí sé in aois an dá scór, nó gar dó, cuid dá ghruaig sách liath os cionn na gcluas ach seachas sin bhí folt fairsing dorcha air.

'Thanielle? Is mise Jean Bouygues. Gabhaim leithscéal leat. Chuas chun cainte leis an gcuntasóir, agus chuir seisean moill orm. Gabhaim pardún agat. Tar isteach i m'oifig, le do thoil.'

Shín sé lámh chuici. Fiú is go raibh a lámh fuar tar éis dó a bheith amuigh, bhraith sí gur duine macánta, ionraic é.

'Buail fút ansin sa chathaoir, le do thoil, Thanielle. Tá scéal mór le hinsint agam duit.'

'Seo iad eochracha na bialainne, Monsieur Bouygues, agus is é seo an méid airgid a fuaireas am lóin. Bhí an *Ristorante* ar oscailt agam.'

Leag sí na heochracha ar an mbord os a chomhair, agus d'oscail sí amach an naipcín boird a raibh an t-airgead istigh ann.

'Tóg bog é, tóg bog é anois go fóillín, Thanielle. Agus is é *Jean* is ainm domsa. Ní gá *Monsieur* a thabhairt orm nuair atá obair ar siúl againn. Ach, tosaímis ag an tosach. An bhfuil tú ar do chompord ansin? Ar mhaith leat caifé, nó rud ar bith?'

Chuir an freagra a thug sí ionadh uirthi féin.

'Ba bhreá liom caifé, le do thoil,' a dúirt sí.

'Mise chomh maith leat,' a d'fhógair sé.

Bhrúigh sé cnaipe gar don fhón ar an mbord, agus d'iarr caifé do bheirt. Chuala Thanielle guth mná á fhreagairt. *Oui, d'accord.*

I gceann tamaillín tugadh an caifé isteach.

Thosaigh an tUasal Bouygues ar a scéal a insint di.

'Faoi mar a dúirt mé leat ar an bhfón ar maidin fuaireas glao gan choinne ó na póilíní. De réir dealraimh, fuair siad siúd cáipéisí i gcarr Mario a raibh m'ainmse orthu, agus is dá bharr sin a chuir siad scairt ormsa. Dúirt siad liom go raibh sé marbh sa charr nuair a tháinig siad air. Bhí an carr imithe thar chlaí isteach ar thaobh an bhóthair. Ní raibh aon charr eile i gceist sa tionóisc. Measann na póilíní gur thit a chodladh air ar an stiúir, nó b'fhéidir gur bhuail taom croí é. Ní raibh marc ar bith ar a chorp. Ní raibh aon fhuil ann, ná géaga briste, ach dúirt siad go mb'fhéidir go raibh easnacha basctha. Tá scrúdú iarbháis le cur air am éigin inniu. Níl dada eile cloiste agam uathu ó shin.'

Lean sé air.

Bhí gnó Mario faoina chúram féin le fada an lá. Bhí gach eolas sa chomhad aige ar an ngnó a bhí ar siúl sa *Ristorante Génova,* agus i ngnáthshaol Mario. Bhí uacht scríofa ag Mario le cúpla bliain, a dúirt sé, agus é féin ceaptha ina sheiceadóir, agus is dá bharr sin a d'iarr sé ar Thanielle teacht isteach chuige.

'An dóigh leat, Thanielle, go mbeifeá in ann leanúint leis an ngnó go ceann leathbhliana nó mar sin, go dtí lár an tsamhraidh, abraimis, go dtí go ndíolfar an bhialann? Beidh ardú ar do thuarastal i gceist gan amhras, agus teastóidh duine éigin breise uait chun cabhrú leat. D'íocfaí tuarastal an duine sin as an ngnó freisin ar ndóigh. Cad a déarfá? An mbeifeá toilteanach é sin a dhéanamh?'

Ní raibh aon choinne aici lena leithéid seo. Ba bhreá léi dá bhféadfadh sí glacadh leis an tairiscint. D'oirfeadh a leithéid go maith di. Post buan go dtí lár an tsamhraidh. Nach é sin a bhí uaithi? Ach thuig sí go maith nach bhféadfadh sí cúram bainistíochta an *Ristorante* a ghlacadh uirthi féin. Bheadh sí ina hóinseach os comhair an tsaoil, nuair a thiocfadh sé chun solais go raibh praiseach déanta aici den obair. Ní raibh neart aici air. Chaithfeadh sí an tairiscint a dhiúltú.

'Ní fhéadfainn gnó an *Ristorante* a dhéanamh, Monsieur Bouygues. An t-aon taithí atá agamsa ar an ngnó ná a bheith ag freastal ar bhoird.'

'Ach dheinis an gnó am lóin inniu, nár dheinis? Cén fáth nach ndéanfá é go rialta go dtí lár an tsamhraidh? Bheadh úinéir nua sa bhialann faoin am sin, b'fhéidir fiú níos luaithe ná sin. Ní bheadh ann ach cúpla mí. Bheadh duine éigin agat chun cabhrú leat. Agus mar a deirim, bheadh tuarastal breise i gceist.'

'Ní bheadh ar mo chumas, is baolach,' a d'fhreagair sí. 'Ní bheadh sé ar mo chumas an bhainistíocht a dhéanamh. Ach ba bhreá liom post a bheith agam ann go dtí lár an tsamhraidh dá bhféadfaí, mar go mbeidh sé an-deacair orm post ar bith a fháil an tráth seo bliana. Dá bhféadfaí cócaire cáilithe a fháil ba bhreá liom fanacht i mo phost mar fhreastalaí boird ina theannta siúd.'

'Bhuel, is léir go raibh níos mó measa ag Mario ort ná mar atá agat ort féin. Dúirt Mario liom gur tusa an bhean a choimeádfadh an gnó sa tsiúl go dtí go ndíolfaí é dá dtarlódh rud ar bith dó féin. Tá seanaithne agat ar fhormhór na ngnáthchustaiméirí, agus seantuiscint agat ar cheannach na mbunábhar. Agus má dheinis an chócaireacht inniu caithfidh go bhfuil ar do chumas cócaireacht a dhéanamh. Nach bhfuil sé cruthaithe agat cheana féin gur cócaire agus bainisteoir tú? Nach n-aontaíonn tú liom?'

'Ní raibh ann inniu, Monsieur Bouygues, ach bean mhíchiallmhar ag dul sa seans, mar nach raibh coinne agam le slua rómhór a theacht isteach de bharr na drochaimsire. D'fhéadfainn a bheith i dtrioblóid mhór anois díreach os do chomhair amach dá mba rud é go mbeadh rud ar bith as bealach déanta agam.'

'Agus an mó duine a tháinig isteach chugat?'

'Ocht nduine dhéag ar fad.'

'Ocht nduine dhéag! Agus tusa i d'aonar! Is slua mór é sin. Dheinis an obair go léir tú féin! Ní raibh freastalaí boird agat, nó má bhí ní raibh cócaire agat. Is tusa a dhein obair bheirte, agus féach gur tháinig tú slán. Is léir domsa, ach go háirithe, go bhfuil ar do chumas an bhialann a choimeád sa tsiúl.'

Níor thug sí aon fhreagra eile. Chuir sí a ceann fúithi. Ní raibh aon taithí aici ar a bheith ag argóint le daoine. Bhí a cuid ráite aici.

'Cogar,' ar sé. 'Deinimis mar seo é. Bíodh sé seo ina mhargadh eadrainn. An mbainfeá triail as go ceann seachtaine, féachaint conas a éireoidh leat? An bhfuil aithne agat ar dhuine ar bith a thabharfadh cabhair duit? Bean ar bith a bheadh in ann teacht isteach am lóin, abraimis, agus san iarnóin?'

'Bhuel, tá cara agam, ceart go leor. B'fhéidir go mbeadh sí toilteanach cabhrú liom. An-seans go mbeadh. Tá sí níos sine ná mé féin. Tá sí béasach, múinte agus slachtmhar inti féin. Tá an chúiléith i bhfad siar inti.'

'Maith thú!'

'Cuirfidh mé ceist uirthi anocht. Go ceann seachtaine amháin, a deir tú?'

'Dein sin, agus beir leat isteach amárach í. Buailfeadsa isteach i rith na maidine chun cainte libh beirt faoi thuarastail. Tá an cuntasóir le glaoch orm tráthnóna, agus beidh roinnt eolais aige dom faoi rátaí pá agus a leithéid. Beir leat na heochracha agus an t-airgead sin. Coinnigh cuntais sa leabhar i dtaobh díolacháin agus bunábhair a cheannóidh tú. Tiocfaidh an cuntasóir agus labhróidh sé leat i dtaobh airgead breise a chur sa bhanc ó thráth go chéile, agus mar sin de. Beidh a thuilleadh le rá agam ansin leat féin i gceann cúpla lá i dtaobh gnéithe eile. Go n-éirí go geal leat, Thanielle. Ádh mór ort.'

Bhí Thanielle sásta go leor leis an margadh. Bheadh post aici go ceann seachtaine ar aon nós. Thabharfadh sé sin deis di iarracht a dhéanamh ar phost buan a fháil i mbialann éigin eile ar an mbaile. Agus dúirt an *notaire* go mbeadh ardú pá i gceist. Breis airgid di, a dúirt sé. Dúirt sé faoi dhó é. D'fhéadfadh an scéal a bheith i bhfad níos measa aici. Ar ndóigh, chaithfeadh sí an t-airgead

láimhe ó na custaiméirí a roinnt agus bheadh
cailliúint ansin di, ach cén dochar. Ba chóir go
mbeadh sí ag teacht níos fearr as, ar bhealach
amháin nó ar bhealach eile. Bhí sí sásta go maith.
D'fhéadfadh a mhalairt ar fad de scéal a bheith
ann. D'fhéadfadh sí a bheith ar a bealach abhaile
anois díreach gan post ná dada a bheith aici.

Bhí sí ina seasamh faoin am seo, ar tí imeacht,
nuair a chuimhnigh sí ar Mario agus cúrsaí
sochraide.

'Cad faoi shochraid Mario, Monsieur Bouygues?
An anseo i mBiarritz a chuirfear é, nó an bhfuil
aon rud socraithe fós?'

'Ó bí cinnte nach i mBiarritz a chuirfear é. Ní hea
in aon chor. Is ar a bhean chéile i *Génova* a bheidh
an cúram anois. San Iodáil a chuirfear é. Ní
bheidh sé ag filleadh anseo go brách arís.'

Ba bheag nár thit Thanielle as a seasamh.

'A bhean chéile? Bhí bean chéile aige? Cá raibh an bhean chéile aige,' a scairt sí amach.

'Ní raibh a fhios agat go raibh bean chéile aige? Ní dúirt sé dada riamh leat faoina bhean chéile?'

'An t-aon rud a dúirt sé ná go dtéadh sé go dtí a mháthair gach uile Lá Fhéile Vailintín. An bhfuil tú á rá liom nach go dtí a mháthair a chuaigh sé maidin inné?'

'Níorbh ea in aon chor, is baolach. Níl aon eolas agamsa faoina mháthair, nó an beo nó marbh di. Is léir gur bhaineas tuisle asat leis an nuacht sin faoina bhean chéile. Gabhaim leithscéal leat. B'fhearr dom roinnt eolais eile a thabhairt duit. Ní rabhas chun aon ní a rá faoi ghnéithe áirithe eile go ceann cúpla lá. Cogar. An dtabharfaidh tú do gheallúint dom go ndéanfaidh tú gnó an *Ristorante* go ceann seachtaine - seachtain ar a laghad - mar ghar dom? Bead i gcruachás mura ndéanfaidh tú é. Buail fút ar an gcathaoir arís ar feadh bomaite le do thoil, Thanielle.'

Shuigh sí. Aidhe, bhí an pleidhce pósta. Níor chóir go gcuirfeadh sin aon ionadh uirthi dáiríre, ach chuir.

Chuaigh Monsieur Bouygues go dtí caibinéad na gcomhad, agus tharraing sé amach fillteán gorm. Leag sé an fillteán ar an mbord os a chomhair amach.

'Bhuel, leis an bhfírinne a rá, ní gá dom féachaint air seo. Thugas sracfhéachaint ar an gcomhad ar maidin tar éis dom an glao a fháil ó na póilíní. Tá a fhios agam cad atá ann. Bheinn faoi chomaoin mhór agat dá ndéanfá an obair sa bhialann go fóill. Tá sé thar a bheith tábhachtach go leanfaí ar aghaidh leis an ngnó.'

'Déanfaidh mé más féidir liom, ach nílim ag maíomh go bhfuilim cáilithe chuige.'

'Ní dóigh liom gur baol dúinn in aon chor. Cad is

ainm do do chara a chabhróidh leat?'

'Sophie Piot, ach beidh orm ceist a chur uirthi anocht.'

'Beidh. Gan amhras. Tuigim sin go breá. An dóigh leat go mbeidh tú in ann teacht ar dhuine éigin eile mura mbeidh Sophie ar fáil?'

'Is é mo bharúil go mbeidh sí ar fáil, go sealadach ar aon nós. Níl aon chúram mór uirthi faoi láthair. Tá a clann ag fás suas. Beidh sé le rá aici liom go bhfuilim glan amach as mo mheabhair, agus beidh an ceart aici.'

'Ar éigean é. Is bean chumasach tú, i mo thuairimse.'

Bean chumasach! Ní dúirt duine ar bith é sin léi riamh cheana ina saol.

'Anois, más ea, Thanielle, fágfaimid gach rud mar atá go ceann seachtaine. Ach buailfeadsa isteach chugaibh maidin amárach, faoi mar a dúirt mé. Táim lánchinnte go n-éireoidh go geal leat. Má bhíonn cúis ar bith agat le glao a chur orm dein sin láithreach. Tabhair leat ceann de na cártaí beaga bána ón mbosca beag sin in aice leat. Tá m'uimhir ar an gcárta, agus cuir glao orm am ar bith má bhíonn rud ar bith ag cur as duit. Táim an-bhuíoch díot. Ceist ar bith agat ormsa anois sula n-imeoidh tú?'

Gan choinne, chuimhnigh Thanielle ar an tóraíocht ar a hathair i Manchain. Chuirfeadh an dlíodóir seo comhairle uirthi. Fear é seo a raibh ardoideachas air. Má bhí sise ag déanamh gar dó siúd ba chóir go ndéanfadh seisean gar dise.

'Bhuel, murar mhiste leat, Monsieur Bouygues, b'fhéidir go dtabharfá treoir dom maidir le rud áirithe, le do thoil. Rud nach mbaineann in aon chor leis an *Ristorante*, ach liom féin.'

D'inis sí dó faoina hathair i Manchain Shasana,

agus nach raibh a fhios aici conas a d'fhéadfadh sí teacht air. Dúirt sí leis gurbh eol di gur imir sé i gcluiche rugbaí ar son Mhanchain in aghaidh Biarritz sa bhliain 1975, agus gur chóir go mbeadh a ainm ar cháipéis éigin sa chlub rugbaí, nó i bpáipéar nuachta éigin ón aimsir sin. Mhínigh sí dó nach raibh a shloinne aici ach gurbh é an t-ainm baiste a bhí air ná Nathy nó Nathaniel.

Thosaigh an dlíodóir ag gáire.

'Is mar sin a fuair tusa d'ainm baiste, gan amhras, más ea, Thanielle,' ar sé.

'Is fíor sin. Deir mo mháthair go raibh sí i ngrá leis an bhfear seo. Ní fheadar faoi sin. Is ar éigean a bhí aithne acu ar a chéile. Ach is dócha nach raibh sí ar a cosaint agus gur chuir seisean breall uirthi, agus gurbh é sin a tharla. Pé scéal é, sin é an fáth gur bheartaigh mo mháthair ar Thanielle a thabhairt mar ainm ormsa. Níor dhein m'athair aon iarracht ar theagmháil a dhéanamh léi tar éis dó filleadh ar Shasana.'

'Tarlaíonn a leithéid sách minic, is baolach, Thanielle. Sin é mar atá an saol. Ar aon nós cuirimis chuige, féachaint cad a thitfidh amach.'

Dúirt an *notaire* gurbh é a bhí le déanamh aige ná a iarraidh ar *l'Armée du Salut en France* fiosrú a dhéanamh faoina hathair i Manchain. Dúirt sé léi go raibh an *Salvation Army* mar a thugtar orthu thall, fairsing go maith ar fud Shasana, agus gan amhras ar bith bhí ionad agus foireann acu i gcathair mhór mar Mhanchain. Dúirt sé go gcuirfeadh sé an obair sa tsiúl gan mhoill, agus go mbeadh súil aige le nuacht éigin taobh istigh de mhí nó mar sin. Ach, ar ndóigh, go mb'fhéidir nach mbeidís in ann teacht ar a hathair ar chor ar bith, go háirithe dá mba rud é go raibh sé imithe chun cónaithe in áit ar bith eile sa Ríocht Aontaithe, nó é a bheith imithe thar lear mar shampla chun buanchónaithe.

Ghlac Thanielle leis sin. Bhí sí buíoch as ucht na cabhrach ón dlíodóir. B'fhearr di más ea a dícheall a dhéanamh leis an obair sa *Ristorante*.

D'fhág siad slán ag a chéile agus bhog sí léi amach ar an gcasán. Bhí an bháisteach ag titim fós. Thug sí aghaidh ar an *Ristorante*. Níor mhór di machnamh a dhéanamh ar obair an lae amárach anois.

5

'An bhfuil tú dáirire, Thanielle? Ní raibh tú ceanúil air, beag ná mór?'

'Sophie, cuir uait, le do thoil. Ní rabhas ná ceanúil ar an bhfear úd. Sin tosach agus deireadh an scéil. Tá sé ráite agam leat seacht n-uaire. Bhí an ghráin agam air.'

'Ach fós chuaigh tú in aon leaba leis. Caithfidh go raibh tú ceanúil air, Thanielle?'

'Ní rabhas ceanúil air, Sophie. Ná cuir aon cheist eile orm faoin bhfear. Ní raibh aon dul as agam ach luí leis. Ní haon chailliúint domsa é gur faoin gcré a bheidh sé ag dul. Ach faoiseamh.'

'Níl a fhios agam an gcreidim tú. Ach fágaimis

siúd mar atá sé. Cad faoin dream óg, Thanielle? Cad a déarfaidh tú leo siúd?'

'Níl faic le rá leo. Ní raibh aon aithne acu air. Ní déarfaidh mé dada leo. Sin é a déarfaidh mé leo.'

'B'fhearr duit rud éigin a rá leo. Rud éigin simplí. Gan fál go haer a dhéanamh as. Ba eisean athair do thriúr clainne, Thanielle. Fiú mura raibh puinn measa agat féin air, ba chóir aitheantas a thabhairt dó mar athair ar son do leanaí.

'Meabhraigh nach mbíonn ag duine ar bith a thagann ar an saol seo ach máthair amháin agus athair amháin. Sin mar a bhíonn. Agus nach mbíonn tú féin de shíor ag machnamh ar d'athair féin i Sasana, fiú is nach bhfaca tú riamh é, ná eisean tusa? Nach minic a dhein tú tagairt dó? Fiú leis an *notaire* inniu?

'Mo mholadh dhuit, Thanielle, ná teacht am codlata anocht, go ndéarfá leo gur maraíodh a n-athair i dtionóisc bhóthair, agus abraigí go léir paidir i dteannta a chéile ar a shon. Fág mar sin é ansin. Ansin nuair a bheidh siad fásta suas, má chuireann siad ceist chasta ar bith ort cuimhneoidh tú ar fhreagra éigin an uair sin.'

'Aidhe. Tá an ceart agat is dócha, Sophie.'

'Conas atá Jiulietta na laethanta seo? An bhfuil aon fheabhas uirthi? Fós lán de theaspach, ag tabhairt faoi dhaoine agus mar sin de?'

'Feabhas ar bith, is baolach, Sophie. Tá mo mháthair cráite aici. Ní féidir léi siúd smacht a choiméad uirthi in aon chor, ná mise ach oiread. Ní dheineann sí rud ar bith a deirtear léi. Agus bíonn sí de shíor ag iarraidh bia a ghoid as an gcófra.'

'An mbíonn ocras uirthi?'

'Ní fhéadfadh ocras a bheith uirthi, Sophie. Faigheann sí breis agus a dóthain le hithe. Ní bhíonn sí sásta glacadh le húdarás ar bith.'

'Bhí sí go breá nuair a bhí sí níos óige. Nach minic a bhí sí i mo bhaclainn agam féin? Nuair a bhí sí in aois a trí nó mar sin is ea a thosaigh sí ag éirí cantalach. Cailín deas a bhí inti tráth den saol.'

'Bhuel, ní cailín deas anois í, Sophie.'

'Cad a bhí le rá ag an dochtúir leat?'

'Ar éigean a thuigeas aon rud a dúirt an dochtúir liom. Gach aon chomhartha sóirt a luaigh an dochtúir, d'aithníos ar Jiulietta é, ach seachas sin bhíos caillte. Rud amháin is eol dom ná go mbíodh i bhfad níos mó cainte aici nuair a bhí sí óg. Ní bhíodh sí aon phioc chomh cúthaileach is atá anois. Caitear an bia ceanann céanna a chur ar fáil di lá i ndiaidh lae, agus mura ndéantar sin bíonn sé ina chogadh dearg. Caitear na héadaí céanna a chur uirthi gach uile lá sa tseachtain. Má chuireann Paulo nó Gino feisteas úr orthu maidin ar bith bíonn agóid ag Jiulietta. Caithfidh siad na héadaí a bhí orthu an lá roimhe sin a chaitheamh arís. *Siondróm Landau-Kleffner* atá ann. Sin é a dúirt an dochtúir, pé rud é féin.'

'*Siondróm Landau-Kleffner?* Go sábhála Mac Dé sinn. Ar mhol sé rud ar bith a d'fhéadfá a dhéanamh? Ar thug sé cógais ar bith duit?'

'Dúirt sé go gcaithfinn a bheith foighneach, gur chóir iarracht a dhéanamh ar bhia difriúil a thabhairt di mar go mb'fhéidir go raibh rudaí áirithe sa bhia a bhí ag cur isteach uirthi, agus dul ar ais chuige i gceann míosa nó mar sin.'

'B'fhéidir go bhfásfaidh sí as, Thanielle.'

'Tá súil agam go bhfásfaidh, ach ní hin é a dúirt an dochtúir.'

'Agus cad a dúirt sé leat?'

'Nach raibh leigheas ar fáil. Sin é a dúirt sé liom. Níl aon réiteach ag saineolaithe leighis ar an bhfadhb, ná aon tsúil lena leithéid sa todhchaí ach an oiread.

Sin mar atá. Anois, b'fhearr domsa dul abhaile. Tá sé ag éirí déanach agus tá an oíche caite agam anseo ag caint leat. Táim an-bhuíoch, Sophie. Beidh tú liom ar maidin amárach, ar aon nós?'

'Beidh agus fáilte. Agus comhghairdeachas leat, Thanielle. Is bainisteoir bialainne tú anois! Beidh beagáinín spraoi againn, tusa agus mise, ar feadh seachtaine. Agus déarfaidh tú liom i rith an lae amárach conas a chuir tú an nimh i mbia Mario! Tabhair do gheallúint dom air sin.'

'Ó, cuir uait. Dá mbeinn chun é sin a dhéanamh bheadh sé déanta agam fadó. Beidh obair le déanamh againn, Sophie, a chroí. Agus caithfidh mé aire mhaith a thabhairt do gach rud chun a chinntiú go mbeidh an *notaire* sásta cuidiú liom féin leis an gcuardach eile.'

'Ní baol dúinn an obair, a stór. Nuair a bheidh an bheirt againne ag treabhadh le chéile, ní bheidh aon teorainn linn. Beidh Jean Bouygues thar a bheith buíoch díot. Ná deinse dearmad go gcaithfidh tú tabhairt faoi litir a scríobh go dtí d'athair i Manchain sula i bhfad. Meas tú an mbeidh siad in ann teacht air?'

'Fad is nach bhfuil sé bailithe leis as Manchain déarfainn go mbeifear in ann teacht air, ceart go leor. B'fhéidir gurbh fhearr nach n-éireodh liom san iarracht. Má aimsítear é níl a fhios agam cad a bheidh le rá agam leis. Ní hamhlaidh atá mo mháthair agus mé féin thar a bheith buíoch de. Is léir nach raibh puinn measa aige ar Maman thiar sna 1970idí, agus is ar éigean a bheidh sé róbhuartha fúithi anois, ná fúmsa ach an oiread, ná faoi Jiulietta, ná faoi dhuine ar bith againn.

'Dá mba Fhrancach féin é! Táim amhrasach faoi Shasanaigh. Ní maith liom an dream as Sasana a thagann isteach sa bhialann nuair a bhíonn siad ar saoire sa samhradh. Dream ardnósach. Bíonn sé deacair iad a shásamh. Sin ráite, ní hionann iad go léir ar ndóigh.'

'Níor thit tú féin i ngrá le Francach ach oiread le do Mhaman.'

'Níor thit mise i ngrá le haon fhear, go háirithe Mario Vanucci, Sophie. Bhí an t-ádh leatsa go bhfuair tú féin fear maith.'

'Bhí an t-ádh liom. Ach bíodh misneach agat. Ní raibh sibh ag brath ar d'athair i Sasana go dtí seo, agus tháinig sibh slán. Tiocfaidh sibh slán arís. Agus mura dtiocfaidh tú ar an seanduine i Manchain, glac uaimse é go bhfaighidh tú fear deas éigin anseo duit féin. Firín saibhir, Thanielle, sin é a bhíonn de dhíth, agus croí lag aige. Tuigeann tú leat mé? Ansin taom croí taobh istigh de chúpla bliain, agus go bhfágfadh sé a mhaoin shaolta agatsa. Sin nó go ndéanfá an cleas leis an nimh an dara huair!'

'Sea mhuise. Nach maith go bhfuil cúis gháire againn. Bí cinnte nach dteastaíonn aon fhear i mo shaolsa go ceann i bhfad. Oíche mhaith, Sophie, agus go raibh míle míle maith agat. Is mór agam do charadas.'

'*À bientôt, Thanielle.*'

D'ardaigh sí an scáth báistí. Bheadh siúlóid ceathrú uair an chloig nó mar sin aici in aghaidh an chnoic go dtí a teach cónaithe féin, agus ansin scéal mór an lae le hinsint arís aici, dá Maman an babhta seo. Chonaic sí go raibh lus an chromchinn ag teacht faoi bhláth i gcuid de na gairdíní ar thaobh an bhóthair. Níorbh fhada anois go bhfeabhsódh an aimsir. Ach anocht spéir dhubh dhorcha a bhí os a cionn, cé nach raibh aon fhuacht rómhór ann. Bhí an chuma air go ndéanfadh sé roinnt báistí fós. Mhothaigh sí an taise ag sú isteach ina bróga.

6

Faoi mar a gheall an *notaire* tháinig sé go dtí an *Ristorante* go moch maidin lá arna mhárach. Chuir Thanielle a cara Sophie in aithne dó. Ghabh sé buíochas léi as teacht i gcabhair air. Ansin thug sé nod do Thanielle suí chun boird sa chúinne. Mhínigh sé na rátaí nua tuarastail di, agus dúirt sé léi go mb'fhéidir go mbeadh roinnt seachtainí ann fós sula mbeadh úinéir úr i bhfeighil na bialainne, agus gur mhór aige dá bhfanfadh sí féin agus Sophie go dtí sin. Bheadh a thuilleadh le rá aige faoi ghnéithe eile chomh luath is a d'fhéadfadh sé.

Nuair a bhí sé ag bailiú leis amach an doras, chas sé i dtreo Thanielle.

'Cad faoi shochraid Mario? An mbeidh spéis agat dul ann?'

'Ní bheidh,' a d'fhreagair sí. 'Tá obair le déanamh anseo anois, agus is fearr go dtabharfainn aire don ghnó.'

'Ceart go leor, Thanielle. Má thagann tú ar mhalairt aigne cuir glao orm. Is i reilig gar do Tarbes a chuirfear é meán lae amárach.'

'Reilig gar do Tarbes? Cén fáth nach san Iodáil atá sé le cur?'

'Theastaigh óna bhean - a iarbhean chéile ba chóir dom a rá - go mbeadh sé curtha i reilig cóngarach dá n-iníon in Ospidéal Dame de Lourdes in Tarbes.'

'Iníon? Níor chuala mise dada faoi iníon a bheith aige. Altra í san ospidéal, ab ea? Ní raibh a fhios agam ó thalamh an domhain go raibh iníon aige.'

'Ní altra í in aon chor. Is othar san ospidéal í. Ospidéal meabhairghalair atá ann. Tá sí ann ó bhí sí dhá bhliain d'aois. Níl aon chaint aici, agus tá sí thar a bheith scáfar. Bíonn sí de shíor ag fáisceadh a lámh ar a chéile. Is galar meabhrach fíorolc é. *Siondróm Rett* a thugtar air. Is chuici a théadh Mario gach uile Lá Fhéile Vailintín, fiú is nár aithin a iníon cé a bhí aici, maith ná olc. Thugadh sé ualach píotsaithe leis do na hothair.'

'Agus cad faoin máthair? An dtagadh a máthair chun í a fheiceáil?'

'Thagadh sise chomh maith ar Lá Fhéile Vailintín. Ba é lá breithe na hiníne é. Fiú is go raibh Mario agus a bhean scartha, thagaidís le chéile chun a n-iníon a fheiceáil ar a lá breithe.'

Mhachnaigh Thanielle ina haigne féin go raibh Mario toilteanach cuairt a thabhairt ar a iníon ar a lá breithe gach bliain gan teip, ach nach raibh sé toilteanach cuairt a thabhairt ar aon duine dá thriúr clainne ag baile. Agus nárbh ait an méid a dúirt an *notaire* faoin ngalar a bhí ar iníon Mario san ospidéal meabhairghalar in Tarbes? Ba bheag nárbh ionann cuid de na comharthaí breoiteachta a bhí ar Jiulietta agus iad sin a bhí ar an mbean sin.

D'fhág siad slán ag a chéile. D'fhill Thanielle ar an gcistin chun an scéal úr a roinnt le Sophie. Nuair a shroich sí doras na cistine d'fhéach Sophie go béaloscailte uirthi.

'Go sábhála Dia sin, Thanielle. An bhfuil tú ceart? Tá cuma an bháis ort. B'fhearr duit suí síos, a thaisce. Glac sos go fóillín.'

'Ní baol dom. Go raibh maith agat, Sophie. Fan go n-inseoidh mé an scéal is déanaí duit. Ní chreidfidh tú é seo.'

Ansin thosaigh Thanielle ag gáire os ard. Gáire neamhshaolta gan stad a bhí ann.

'Ó, a leithéid de phleidhce, a leithéid de

chladhaire. Agus nach mise an óinseach chruthanta aige. Ní hamháin go raibh bean chéile aige, Sophie, ach bhí iníon aige freisin. An gcreidfeá a leithéid? Tá sí glan amach as a meabhair ar fad, an bhean bhocht. Tá sí faoi bhuanchúram san ospidéal in Tarbes.'

'Suigh anseo, a chroí. Níl aon teorainn leis na scéalta atá agat dom. Iníon aige, agus is gealt í? Arbh in é sin a dúirt an *notaire* leat?'

'Iníon, agus is gealt í. Sin é a deirim leat. Beidh mé féin in Ospidéal na nGealt má leanann a leithéid seo ar aghaidh. Cén scéal eile atá fós le teacht faoin dobhrán seo? Go dtuga Dia faoiseamh dom ón bpleidhce gan mhaith agus a chuid cleasaíochta.'

'Seo, caith siar an t-uisce seo. Tá Mario marbh. Cuir as do cheann ar fad é.'

'Sea. Tá an ceart agat. Ná bacaimis leis. Bhí anscéal ag an *notaire* faoi chúrsaí airgid. Dhá oiread mo ghnáth-thuarastail le fáil agamsa, agus luach mo sheantuarastail agus a leath arís le híoc leatsa. Agus beidh obair anseo againn go ceann roinnt seachtainí eile. B'fhéidir cúpla mí féin. Cad a déarfá? An mbeidh túsa sásta leis sin mar mhargadh, Sophie?'

Bheadh sise toilteanach leanúint go Nollaig ar an mbonn sin, a dúirt sí.

'Cad eile a bhí le rá ag an *notaire*?'

'Tá Mario le cur i reilig Tarbes. Thug an *notaire* cuireadh dom dul chun na sochraide. Dúirt mé leis nach rachainn ann.'

'B'fhéidir gur chóir duit dul ann, Thanielle. Agus go dtabharfá na leanaí óga leat dá bhféadfaí é.'

'Aidhe, stad. Éirigh as. Tá obair le déanamh, Sophie, a chroí. Agus caithfear an seomra codlata sin a ghlanadh amach. Ní déarfainn gur chuir sé scuab péinte leis ó tháinig sé chun cónaithe anseo.'

'Maith go leor, a stór. Téanam chun oibre.'

Ar éigean a chuala siad an choiscéim ar urlár na bialainne. Ach d'aithin siad guth íseal an fhir a bhí ar an láthair tamaillín ó shin.

'Mo leithscéal, Thanielle. Dheineas dearmad ar rud a rá leat.'

Monsieur Bouygues a bhí ann arís, ar ndóigh.

'Ós rud é go mbeidh an tsochraid ann amárach ní bheidh an *Ristorante* á oscailt. Croch fógra ar an doras anocht nuair a bheidh sibh ag dúnadh. Is féidir filleadh ar an obair an lá dar gcionn arís ansin.'

'Ceart go leor. Déanfar san. Fógra beag a déarfaidh go bhfuair úinéir na bialainne bás gan choinne agus go mbeidh sé á adhlacadh i reilig Tarbes ar meán lae?'

'Bheadh a leithéid sin go breá. Go raibh maith agat, Thanielle.'

'Cabhróidh Sophie liom. Nílim féin róchumasach in aon ghnó scríbhneoireachta.'

'Iarrfad ar mo rúnaí cáipéis bheag a chlóscríobh. Bheadh sé sin deas néata. An mbeadh duine agaibh toilteanach teacht go dtí m'oifigse tráthnóna ag triall air?'

'B'fhearr é sin go mór, Monsieur Bouygues. Sin é a dhéanfaimid,' a d'fhreagair Thanielle.

'Agus cogar, Thanielle. An ndéanfá ath-mhachnamh ar do chinneadh gan dul chun na sochraide? D'fhéadfaimis dreas cainte a dhéanamh sa charr agus sinn ar an mbóthar. Tá rudaí eile fós le plé agam leat. Labhair liom ar an bhfón tráthnóna má thagann malairt aigne ort.'

D'fhéach Thanielle i dtreo na cistine. Bhí Sophie in ann gach a ndúradh a chloisint. Thug sí nod di á rá gur chóir di dul chun na sochraide.

'Mura mbeidh mé ag cur isteach ort, más ea,

Monsieur Bouygues, rachaidh mé ann.'

'An-mhaith ar fad. Tar go dtí m'oifigse ar maidin ar a naoi. Fágfaidh sin dóthain ama againn a bheith in Tarbes faoi am na sochraide. Ní gá duit a bheith buartha faoi rud ar bith. Fillfimid abhaile díreach ina dhiaidh sin. Mo bhuíochas libh beirt arís. Slán agaibh.'

Bhog sé leis amach faoin mbáisteach.

Ba í Sophie ba thúisce a labhair.

'Maith thú, Thanielle. Tá do mhisneach ag teacht chugat. Is maith go bhfuil seisean mar chara agat. Is cuma má bhíonn bean chéile Mario i láthair. Nach cuma sa tsioc leatsa í? Bhí siad scartha óna chéile leis na blianta. Coinnigh do cheann fút nuair a bheidh tú ann, agus ná bíodh gíog ná míog asat le duine ar bith.'

'Is cuma liom fúithi siúd. Nach maith nach anseo ar an mbaile seo againne a bheidh an tsochraid.

Ní bheidh aithne ag duine ar bith orm in Tarbes. Ach cogar, ar chuala tú an *notaire* á rá go raibh rudaí eile fós aige le plé liom? Cén tubaiste eile a bheidh ann dom? Ní dóigh liom go dteastaíonn uaim rud ar bith eile a chloisint uaidh.'

'B'fhéidir nach drochscéal a bheidh aige duit, a stór, ach a mhalairt. Bíodh misneach agat. Coinnigh do chiall. B'fhéidir gur deascéala a bheidh ann an babhta seo. B'fhéidir gur fhág Mario paiste mór talún san Iodáil le huacht agat!'

'Sea mhuise, is túisce a d'iompódh Pápa na Róimhe ina Phrotastúnach. Beidh an lá caite againn ag caint, agus gan dada réitithe againn le haghaidh lóin.'

Ní rófhada a bhí siad ina dtost nuair a labhair Thanielle arís.

'Cogar, Sophie, cén cineál feistis ba chóir dom a chaitheamh don tsochraid? Ar chóir dom smidiú a chur ar m'aghaidh - rud nár dheineas riamh i mo shaol?'

'Ná bac leis. Tá tú go breá slachtmhar mar atá tú. Agus rachaimid go dtí mo theachsa ar ár mbealach abhaile anocht. Tá casóg gheimhridh agam a oirfidh go breá duit. Dath cineál liathghlas atá uirthi. Beidh tú tc tcolaí agus breá galánta inti. Beidh tú i do bhean uasal amach is amach ag dul go dtí sochraid an fhir seo nach raibh tú riamh i ngrá leis.'

'Aidhe, stad! Táim faoi chomaoin mhór agat, Sophie. Cúiteoidh mé leat é ar bhealach éigin, lá éigin.'

'Seo, téanam chun oibre. Tá lón le réiteach. Tá an iomad cainte ar fad ar siúl againn.'

Ní raibh an gnáthfhústar ná gleo ó na custaiméirí am lóin. Bhí scéal bhás Mario scaipthe ar fud an bhaile faoin am seo. Pé caint a deineadh is go híseal a bhí sí. Fiosracht faoi cad a tharlódh don bhialann ba mhó a bhí ag spreagadh na cainte.

7

Nuair a bhí am lóin thart agus na custaiméirí bailithe leo, bhí deis ag Thanielle agus ag Sophie a gcuid bia féin a chaitheamh.

'Beidh cúrsaí ciúin go leor anois go dtí a sé a chlog nó mar sin, Sophie, agus más mian leat éalú abhaile ar feadh cúpla uair an chloig, ní bheidh aon bhrú rómhór ormsa. Agus b'fhéidir ar do bhealach ar ais go rachfá go dtí oifig an *Notaire* chun an fógra sochraide a fháil.'

'Déanfaidh mé sin, gan amhras, Thanielle. Ach ní imeoidh mé go dtí go mbeidh na gréithe boird go léir nite againn. Agus tá cuma na tuirse ort féin, a chroí. Ar inis tú an scéal go léir do do mháthair?'

'D'inis, gan amhras. Bhí sé déanach go maith nuair a chuamar a chodladh.'

'B'fhéidir gur chóir duit féin *siesta* beag a ghlacadh más ea, Thanielle. Cad a bhí le rá ag do mháthair faoi Mario a bheith marbh?'

'Cheap sí go raibh an pleidhce mímhacánta liomsa amach is amach.

'Leis an fhírinne a insint, Sophie, chaitheamar an oíche ag gol, Maman agus mise. Chuir sí an milleán ar fad uirthi féin. Dar léi gur loit sí a saol féin agus mo shaolsa freisin. Mura mbeadh í agus an Sasanach ní bheadh an mí-adh orainn mar atá a dúirt sí. Ba léir di ar a laghad nach raibh splanc chéille aici an uair úd. Splanc ar bith.

'Dúirt mise léi mura mbeadh ise agus an Sasanach nach mbeinnse anseo in aon chor. Tá a croí briste, Sophie, briste ar fad.

'Mar sin féin, is bean chróga í. Bhí sí ina suí go moch arís inniu, í ag gabháil d'obair an tí agus na mbláthanna mar is gnách léi.'

'Caithfear glacadh le cúrsaí mar atá, Thanielle. Caithimid aire a thabhairt dúinn féin chomh maith agus is féidir.

'Ar aon nós, Thanielle, níor thug tú fúithi ar aon bhealach, tá súil agam? Níor chaill tú an cloigeann?'

'Ó, níor dheineas aon rud dá leithéid. In ainneoin gach rud réitímid go breá le chéile i gcónaí. Cá mbeinn murach í? Tugann sí aire do na leanaí lá i ndiaidh lae, gan teip. Ní fhéadfainn dul ag obair mura mbeadh an chabhair sin agam.'

'Gan amhras.'

'Aréir, Sophie, dúirt sí, agus b'fhéidir gur i ngan fhios di féin é, ach dúirt sí go gcaithfeadh sí aghaidh a thabhairt ar an saol amuigh, siúl amach faoin tsráid, agus máistreacht a fháil ar an agrafóibia a bhíonn ag cur as di. Tá sí ina trillín trom ormsa, dar léi, rud nach bhfuil cóir.'

'Sea? An dóigh leat go raibh sí dáiríre?'

'An-seans go raibh dar liomsa. Ceist eile an bheart a dhéanamh mar sin féin. Dúirt mise léi gan a bheith buartha, go n-éireodh go breá linn ar bhealach amháin nó ar bhealach eile. Nílimse chun brú a chur uirthi. D'fhulaing sí an iomarca cheana féin. Is deacair a rá, rachaidh sí féin amach nó rachaidh mé féin ina teannta uair ar bith fós más gá.'

'Tá an ceart agat, Thanielle.'

'In ainneoin deora goirt na hoíche aréir tá cineál misnigh úr againn beirt. Tá Mario imithe den saol. Caithfidh go mbeidh an saol níos fearr as seo amach. Táimse dóchasach go mbeidh.'

'Táimse dóchasach ar do shon chomh maith,

Thanielle. Déanfar beart fónta fós. Glac uaimse é. Anois, bíodh caifé agat, agus tabharfaimid faoi na gréithe boird ansin.'

8

Bhí an *Daily Mail* léite faoi dhó ag an iarbhleachtaire Malcolm Fossett. Ní raibh faic sa pháipéar. Tuilleadh pictiúr d'fhoireann Manchester United tar éis a ngaisce in aghaidh Liverpool. B'in uile. In olcas a bhí Liverpool ag dul.

Ní fheadair sé cén fáth ar fhan sé dílis dóibh thar na blianta. Ba nós é a bhí aige le tríocha bliain a bheith ag freastal ar chluichí sacair. Nuair a ceapadh é ina phost le póilíní Mhanchain bhí buíon bheag de leanúnaithe dílse Liverpool i stáisiún na bpóilíní, agus thosaigh sé ag dul go dtí na cluichí leo. Bhí laethanta maithe, ar ndóigh, nuair a bhuaigh Liverpool corrchluiche, ach bhí seanchairde Malcolm go léir scaipthe anois, cuid acu faoin gcré fiú.

Ar fhéachaint siar dó, ní fheadair sé an raibh an ceart in aon chor aige éirí as a phost in aois a caoga a ceathair. Leabhar, píopa, is tine an triúr cara is binne, a bhíothas á rá leis, agus go mbeadh an saol ar a thoil aige nuair a bheadh sé éirithe as an obair. Dáiríre, ba shaol leadránach a bhí aige anois. Ní raibh puinn le déanamh aige, agus b'fhada leis gach lá dár tháinig.

Nuair a chuaigh sé amach ar pinsean, tuigeadh dó nach raibh an dara rogha aige. D'íoc an chnapshuim as táillí ollscoile a bheirt mhac. Níor theastaigh uaidh go mbeidís siúd ag brath ar phost cosúil leis an gceann a bhí aige féin. Bheadh a mhac Jonathan cáilithe mar mhúinteoir i gceann bliana, agus bheadh Steve cáilithe mar thréidlia an samhradh beag seo. Ní bheadh ceachtar acu ag siúl sráideanna contúirteacha na cathrach go déanach san oíche, a mbeatha i mbaol ó dhrugóirí, ó mheisceoirí, nó ó bhithiúnaigh ar bith eile.

Ba bhreá leis dá mbeadh leathacra talún aige,

agus gabhar nó asal beag. Bhíodh dhá asal agus meannán gabhair acu nuair a bhí a bhean chéile ina beatha, agus cónaí orthu amach ón gcathair. Ach chuirfí an dlí air dá gcoimeádfadh sé ainmhí ar bith ina ghairdín ar chúl a thí anois. Ní raibh ann ach naoi méadar faoi scór. Ní bhfaigheadh an dreoilín féin beathú i ngairdín chomh suarach leis.

Comhairlíodh do Malcolm agus é ag éirí as an obair, luí isteach ar an ngalf, nó dul ag dreapadh sléibhte go rialta chun teaspach na beatha a choimeád ann féin. Moladh dó freisin obair dheonach a dhéanamh. Meabhraíodh dó go raibh taithí fhairsing ar chúrsaí an tsaoil faighte aige ina ghairm mar phóilín, agus gur mhaith an rud é a chuid eolais agus a thaithí a roinnt le daoine eile.

Ba leor leis triail amháin a bhaint as an ngalf. Agus d'fhógair sé dá mbeadh spéis aige i ndreapadóireacht nach i Manchain a bheadh cónaí air ach sa Bhreatain Bheag, agus nach raibh

seans dá laghad go mbeadh sé ag dul chun
cónaithe i measc cantairí na ngleann is na gcnoc.

D'fhág sin an obair dheonach. Bhí meas riamh ag
Malcolm ar an sárobair a dheineadh an *Salvation
Army*. Ba dhaoine iad nach mbíodh ag maíomh as
a ngaisce féin, mar a bhíodh dreamanna eile, ach
iad ag treabhadh leo ar son na Críostaíochta ar
bheagán maoinithe. Dá bharr sin, is chucu siúd a
chuaigh sé, agus fáiltíodh roimhe.

Oíche áirithe a raibh cruinniú na seachtaine ar
siúl, tar éis dóibh a gcupán tae a ól, d'fhógair an
captaen go raibh gnó a d'oirfeadh don
iarbhleachtaire Malcolm Fossett tagtha isteach
óna gcomhghleacaithe in oifig an *Armée du Salut
en France* i mbaile Tonniens i ndeisceart na
Fraince.

'Bean i mBiarritz,' a dúirt sé, 'atá ag iarraidh
teacht ar a hathair, Sasanach as Manchain. Bhí
cumann aon oíche ag an bhfear seo le máthair na

mná i mBiarritz sa mbliain 1975. Níl puinn eolais eile ar fáil dúinn ón bhFrainc, is baolach. Níl fiú sloinne an fhir áirithe seo acu. Is cosúil go raibh sé ina imreoir rugbaí anseo i Manchain sna 1970idí, agus gur le linn deireadh seachtaine rugbaí sa Fhrainc a chuir an bheirt aithne ar a chéile. Tá ainm baiste againn don fhear seo ceart go leor. Nathy, nó Nathaniel, is dócha. An nglacfá é seo mar chúram ort, Malcolm? B'fhéidir go mbeadh do sheanchairde sna póilíní in ann eolas a fháil duit, nó fiú go ndéanfá féin iarracht teacht ar an gclub rugbaí ina raibh an fear seo. An bhfuil a fhios ag duine ar bith agaibh an mó club rugbaí atá againn anseo i Manchain?'

Nuair nach raibh freagra na ceiste ag duine ar bith, d'fhreagair sé féin.

'Níl a fhios agamsa ach an oiread, ach ní fhéadfadh níos mó ná dosaen nó mar sin a bheith anseo, ar a mhéid, is dócha, fiú dá gcuirfí clubanna na gcoláistí san áireamh. De réir fhaisnéis na Fraince bhí máthair na mná seo trí bliana is fiche d'aois nuair a tháinig a leanbh ar an saol. Caithfidh gur fear fásta a bhí ann. Foireann imreoirí fásta a bheadh i gceist.'

D'fhreagair Malcolm.

'Sea. Ba bhreá liom tabhairt faoin obair seo, a chaptaein. Níl puinn cur amach agam ar chúrsaí rugbaí, ach tá seantaithí agam ar conas taighde a dhéanamh, agus tá mo sheanchairde sna póilíní i gcónaí ann, mar a deir tú.'

'Maith thú, Malcolm. Nár laga Dia thú. Beidh scéala éigin agat dúinn i gceann seachtaine, le cúnamh Dé.'

Bhí rud fónta le déanamh ag Malcolm anois. Níor ghá dó fiú cuimhneamh ar Liverpool. Ní hamháin sin, ach obair bhleachtaireachta a bheadh i gceist. Bhí sé chomh sásta leis féin is a bheadh cat a mbeadh póca air.

Maidin lá arna mhárach thug sé aghaidh ar oifigí an *Manchester Guardian.* Bheadh na sean-nuachtáin go léir a d'fhoilsigh siad ó thosach ama acu. Nuair a déarfadh sé leo gur chaith sé a shaol sna póilíní anseo sa chathair, agus gur theastaigh eolas uaidh don *Salvation Army,* bhí sé cinnte go dtabharfaí cead dó iniúchadh a dhéanamh ar a raibh acu.

Bheadh nuachtán in aghaidh an lae i gceist sé lá na seachtaine. Dá mairfeadh cuardach i ngach páipéar ar feadh cúig nóiméad, bheadh dhá cheann déag iniúchta aige in aon uair an chloig amháin. D'fhágfadh sin seasca in aghaidh an lae, nó gar dó. Bheadh an obair déanta aige taobh istigh de sheachtain dá gcuirfeadh sé beagáinín brú air féin.

Dúradh leis sa *Manchester Guardian* go gcaithfeadh sé aghaidh a thabhairt ar an Leabharlann Láir, mar gurbh ann a bhí na sean-nuachtáin go léir anois ar mhicrifís.

75

'Cé mhéad club rugbaí a déarfá atá i Manchain,' arsa Malcolm leis an bhfear a mhol dó aghaidh a thabhairt ar an Leabharlann Láir.

'Níl tuairim dá laghad agamsa, a dhuine uasail,' a fuair sé mar fhreagra. Sacar mo chluichese. Ach má tá tú ag lorg eolais sna páipéir ar fhoirne rugbaí, bíodh a fhios agat gur sa gheimhreadh agus san earrach amháin a imríonn siad a gcuid cluichí. Ní bheidh gá agat le haon chuardach a dhéanamh sa samhradh ná san fhómhar.'

Aidhe! Féach air sin. Níor chailliúint ama a thuras ar an *Manchester Guardian* tar éis an tsaoil. Anois, ní bheadh ach leath na hoibre le déanamh aige. Faoi thráthnóna an tríú lá d'aimsigh Malcolm an nuachtán ina raibh tuairisc ar an gcluiche i mBiarritz. Eagrán an Luain, 10 Márta 1975.

'Bhuel, más maith, is mithid,' a d'fhógair Malcolm dó féin.

Bhí an bua ag Biarritz ar *Manchester Whitesides,*

43 pointe in aghaidh 31.

Tugadh ainmneacha na n-imreoirí ar gach taobh agus ainmneacha na bhfear ionad, ach níor tugadh ach an chéad litir dá n-ainmneacha baiste, agus bhí beirt ar fhoireann *Whitesides* Mhanchain a raibh 'N' orthu. Ba iad sin N.Decoverly agus N.Havers. D'fhéadfadh Nigel nó Norman seachas Nathy a bheith ar dhuine ar bith acu sin freisin go deimhin.

Bheartaigh Malcolm greadadh leis abhaile. Bhí a chuid oibre déanta aige. B'fhéidir go mbeadh ainmneacha san Eolaí Fóin a d'oirfeadh do na leidí a bhí faighte aige sa leabharlann. Mura mbeadh, chuirfeadh sé scairt ar chlub rugbaí *Whitesides* pé áit a bhí siad siúd lonnaithe.

Nuair a bhain sé baile amach bhí teachtaireacht ar an bhfón. An captaen sa *Salvation Army* a d'fhág an teachtaireacht.

'Dia dhuit, Malcolm. Dheineas dearmad an oíche faoi dheireadh a rá leat gur rugadh an bhean úd i mBiarritz ar 23 Nollaig 1975. Ciallaíonn sé sin gur dóichí go raibh a hathair agus a mháthair ag suirí le chéile i Márta na bliana sin, agus ós rud é gur ag an deireadh seachtaine a imrítear cluichí rugbaí idirnáisiúnta, ní bheadh le déanamh agat ach iniúchadh a dhéanamh ar na páipéir ar gach Luan i mí an Mhárta. Tá súil agam go gcabhróidh sé sin leat i do chuardach. Bail ó Dhia ar an obair. Ádh mór ort.'

'Is mór an chabhair tusa, gan amhras ar bith, *mein kapitan,*' a d'fhógair Malcolm os ard agus goimh air. Bhí trí lá caite aige ar obair a d'fhéadfaí a dhéanamh in imeacht leathuair an chloig.

'Bhuel, sin an chaidhp bháis ar an obair don lá inniu,' a d'fhógair Malcolm os ard sa teach cónaithe. Dá mbeadh a bhean chéile ina beatha déarfadh sí leis gan a bheith ag caint leis féin os ard. Chuir amaidí an chaptaein olc air. Cén fáth nár labhair an t-amadán amach an oíche faoi dheireadh, gan a chuid ama a chur amú air?

Bhuel, ní chuirfeadh sé glao ar chlub rugbaí *Whitesides* anocht, agus ba chuma leis má bhí freagra a cheiste san Eolaí Fóin ach an oiread. Bhí *Murder on the Orient Express* de chuid *Agatha Christie* á léamh aige, agus bheadh tús áite aici siúd ar rud ar bith eile ina shaol tráthnóna. Bhí a dhóthain déanta aige don lá inniu ar son an *Sally Army* agus an bhean i mBiarritz. Blúire le hithe anois a bhí de dhíth air.

Thug sé a aghaidh ar *The Great Wall,* an bhialann Shíneach ab ansa leis. Lena gceart a thabhairt do na Sínigh bhíodh gach rud deas slachtmhar i gcónaí sa bhialann acu. Bhíodh gach bord faoi éadach glan bán nach bhfaighfeá fiú is smál amháin beag bídeach air. Soilse nach raibh róláidir ach gur leor iad le biachlár a léamh, agus ceol bog sa chúlra nach gcuirfeadh isteach ar dhuine ach a chuirfeadh ar a shuaimhneas é fad is a bheadh a bhéile á ithe aige. Ba iad na Sínigh ab fhearr ar domhan i mbun bialann dar le Malcolm. Bheidís ag faire amach duit i gcónaí ach fós d'fhanaidís siar go discréideach mura mbeadh gá agat le friotháil.

Níorbh fhada ina shuí do Malcolm nó gur fhill a aigne ar an mbeirt imreoirí rugbaí, N. Decoverly agus N. Havers. Nigel, Norman nó Nathy? Bhí breac-thuairim aige gur chuala sé an t-ainm Nathy Havers uair éigin. Agus seans gur chuala sé Nigel agus Norman Havers chomh maith, gan trácht ar scata de threibh Decoverly. Anois cá raibh a bhéile uaidh? Bhí sé ag éirí mífhoighneach le pé moill a bhí orthu. Ach b'fhearr dó srian a choimeád air féin. Nárbh é a leithéid seo a thiomáin suas an brú fola roimhe seo?

'Glac go bog leis an saol, Malcolm,' a chomhairlíodh sé dó féin, 'agus glacfaidh an saol go bog leat.'

Tháinig an freastalaí. Li Xua Na ab ainm di, agus aithne mhaith ag Malcolm uirthi. Is in Hong Kong a rugadh í ach bhí sí tagtha go Manchain le ceithre bliana agus í ag obair sa bhialann le tamall.

Aidhe, nár bhreá an boladh ón mias? Rogha an tí, agus rís beirithe. B'in a d'ordaíodh sé i gcónaí. Bheadh sé seo go deas blasta anois, agus ansin abhaile leis, chun an choinneal airneáin a chaitheamh le Agatha.

'Uisce, le do thoil. Uisce amháin domsa,' a thug sé mar fhreagra ar Li Xua Na. Ní ghlacfadh sé le haon bhraon meisciúil. Bhí a dhóthain feicthe aige den scrios a dheineann ólachán ar dhaoine - aithreacha, máithreacha, déagóirí, leanaí óga fiú. Nach tiománaí ólta a mharaigh a bhean chéile féin? An té a luaigh *the devil's buttermilk* leis an alcól, bhí an ceart aige.

Nuair a bhí a chuid ite aige bhraith sé i bhfad níos fearr ann féin.

Bhí sé fós ag smaoineamh ar an ainm Nathy Havers. An raibh a leithéid de dhuine ann? Bhí macalla éigin ina chloigeann i dtaobh Nathy Havers. Ach an-seans gur ag brionglóideach a bhí sé. Tuirse agus frustachas an lae ag cur as dó, is dócha. Ach má bhí a leithéid d'fhear ann, is le linn a shaoil sna póilíní a chuala sé faoi.

Coirpeach? Ar éigean é. Fear rugbaí an Havers seo, dá mba Nathy a ainm baiste in aon chor. Agus d'fhéadfadh fiú gur Nesbit a bhí mar ainm air. Tháinig sé ar fhear tráth dá shaol a raibh Nesbit mar ainm baiste air. Agus leis an bhfírinne a insint ní minic a bhíodh lucht rugbaí i dtrioblóid leis an dlí. Daoine gairmiúla den chuid ba mhó ab ea iad.

Chuirfeadh sé Nathy Havers glan as a cheann, má bhí a leithéid ann, don oíche seo. Agus b'fhearr dó brostú abhaile. D'íoc sé a bhille agus thug síneadh beag láimhe do Li Na as an bhfreastal.

Bhí sé sa bhaile gan mhoill. Bhuail sé *Murder on the Orient Express* isteach faoina ascaill agus d'oscail sé an Eolaí Fóin ar a ghlúin. Mo léan, ní raibh aon Nathy Havers, ná Nesbit Havers, ná Nigel Havers ach an oiread ann. Agus ní raibh ach duine amháin de threibh Decoverly ann a raibh 'N' mar cheannlitir ar a ainm baiste. B'in Noel. Tháinig seisean ar an saol aimsir na Nollag ní foláir!

Ach ba chóir dó éirí as an mbleachtaireacht don oíche seo. Bhí a dhóthain déanta aige. Anois cá raibh sé sa scéal seo ag Agatha Christie?

Mo léan, is ag cur an dubh ina gheal air féin a bhí sé.

Dhéanfadh sé rud beag bídeach amháin eile sula dtosódh sé ar an léitheoireacht. Ní thógfadh sé seo ach nóiméad dá chuid ama, agus ansin go dearfa agus go deimhin, luífeadh sé isteach ar an léitheoireacht don oíche.

Tharraing sé chuige an fón, agus bhuail amach na huimhreacha. D'aithin sé guth na mná a d'fhreagair. Liz Muldrew a bhí ann. Aithne mhaith acu ar a chéile ó na laethanta a bhíodh Malcolm ag obair i stáisiún na mbleachtairí léi. Chaith siad roinnt ama ag caint go cairdiúil lena chéile, agus ansin d'fhiafraigh sé di an raibh an bleachtaire George Gibson ar dualgas. Dúirt sí leis go raibh.

Tar éis dóibh an mhionchaint a chur díobh, d'fhiafraigh Malcolm de George an raibh aithne aige ar dhuine ar bith a raibh an t-ainm Nathy Havers air. Fuair sé freagra láithreach ar a cheist. Lean an bheirt ag caint ar feadh tamaill, agus shocraigh siad coinne lóin an lá dar gcionn.

Agus anois, más ea, *Murder on the Orient Express.*

9

Nuair a shroich Malcolm *The King's Head* ar leathuair tar éis an mheán lae, bhí George Gibson i láthair cheana féin, é istigh i gcúinne foscúil ina aonar. Bhí leathphionta beorach os a chomhair ar an mbord beag, gan aon bhraon blaiste aige as.

'Scéal ar bith agat dom, George?'

'Ambaist go bhfuil, Malcolm. Ambaist go bhfuil. Chuaigh mé i dteagmháil le fear a bhí ina bhainisteoir ar Chlub na *Whitesides* ar feadh roinnt mhaith blianta. D'aimsigh seisean an t-eolas dom. Ba é Nathy Havers an gaiscíoch a d'imir le *Manchester Whitesides* ceart go leor sa bhliain 1975, i gcoinne foireann rugbaí i mBiarritz. Níl aon bhaint ag Havers le rugbaí leis na cianta cairbreacha. Níor chuala an fear seo tásc ná tuairisc ar Havers le fada an lá.'

'Ach chuala tusa, George?'

'Tóg go bog é. Tá níos mó ná sin sa scéal.'

'Abair leat, más ea.'

'Chuireas ríomhphost go dtí na póilíní i mBiarritz. Dúirt mé leo go raibh an fear a raibh bean Biarritz ar a thóir sáite i gcoiriúlacht anseo i Manchain.'

'Agus an bhfuair tú freagra uathu?'

'Uair an chloig ó shin, Malcolm. Is bean í seo nach bhfuil pósta, ach tá triúr leanaí aici, beirt bhuachaillí agus iníon amháin. Tá an triúr acu faoi bhun deich mbliana d'aois. Níl an teaghlach go maith as. Tá seanmháthair gan pósadh sa teach freisin, agus tá an bhean óg atá ag lorg an eolais faoina hathair ag freastal ar bhoird i mbialann

Iodálach ar an mbaile - *Ristorante Génova.*'

'Mo ghraidhin thú, George. Dhein tú éacht. Ní i gcónaí a bhíonn póilíní na Fraince toilteanach cabhrú linn.'

'Breá socair anois, Malcolm. Níor chabhraigh siad *linn*. Ní *linn* atá i gceist a thuilleadh! Tá *tusa* ar do phinsean. Ní hionann tusa agus muidne níos mó, tá a fhios agat.'

'Á, éirigh as!'

'Ach fan go fóill go ndéarfaidh mé leat... *Thanielle* is ainm don bhean. *Thanielle* - an gcloiseann tú mé? Thanielle - Nathy - Nathaniel! Anois, an iníon le Havers í nó nach ea?'

'Agus bhí Nathy Havers sa Fhrainc leis na *Whitesides* i 1975?'

'Márta 1975. Mar a fheicimse é, Malcolm, teastaíonn ón mbean seo nasc éigin a bhunú lena hathair. D'oirfeadh sé sin go breá dúinne. Dála an scéil, dúirt póilíní na Fraince gur teaghlach thar a bheith macánta iad an dream seo, nach raibh siad riamh i dtrioblóid d'aon chineál leis an dlí. Is féidir brath ar an mbean. Níl aon bhaint in aon chor aici le coirpigh eagraithe ná a leithéid. Seans nach mbeidh sí róshásta nuair a thuigfidh sí cén cineál duine é a hathair.'

'Sin é an saol agat, George.'

'Caithfear í féin agus Havers a chur in aithne dá chéile. Ansin dá bhfaigheadh Thanielle eolas ar cad atá ar siúl sa *casino*, agus ar pé cleasaíocht eile atá idir lámha ag an mbuachaill báire Nathy, agus an t-eolas sin a thabhairt dúinne, bheadh linn. Tá sé thar am cúpla ceacht a mhúineadh do Nathy Havers, agus is taobh thiar de bharraí iarainn ab fhearr a d'fhoghlaimeodh sé iad.'

'Ná deinimis dearmad más iníon í le Havers, gurb é siúd is athair di. Is treise dúchas ná oiliúint, tá a fhios agat. Níl dlúthchairdeas ar bith idir muidne sa tír seo agus Francaigh, tá a fhios agat.'

'Glacaim leis sin, Malcolm. Ach féach go raibh póilíní Biarritz toilteanach cabhrú linn. Rud nach raibh aon choinne agamsa leis. Cuimhneoimid ar sheift éigin. Labhróidh mise leis an gCigire tráthnóna. Ní baol dúinn.'

'Caithfidh mé féin tuairisc a chur faoi bhráid an chaptaein sa *Sally Army.*'

'Ná habairse aon fhocal leis go mbeidh deis agamsa labhairt leis an gCigire.'

'Agus cad a déarfaidh mé leis ansin?'

'Coinnigh do bhéal dúnta go daingean, go fóill. Is binn béal ina thost, Malcolm. Abair leis an gcaptaen go bhfuilimidne ag déanamh roinnt fiosruithe ar do shon, agus gur thugamar geallúint duit go mbeadh scéala againn duit i gceann roinnt míonna.'

'Roinnt míonna! Ar éigean a ghlacfaidh sé leis sin.'

'Abair roinnt seachtainí más ea. Tabharfaidh sin dóthain ama dúinne teacht ar mhodh oibre éigin. Tá a fhios ag an saol mór go bhfuil ganntanas foirne orainn. Leis an bhfírinne a insint, níl am againn dá leithéid seo d'obair. Ní coirpeach mór le rá é Nathy Havers, go háirithe taobh leis na Nuanánaigh.'

'Aidhe, bhuel, coirpigh dhubha iad na Nuanánaigh cinnte. Cogar, George. Cad faoi seo? Nárbh fhearr go rachaimis i dteannta a chéile go dtí an Cigire? Ansin bheadh a fhios agamsa cad a bheadh le rá agam leis an gCaptaen, agus d'fhéadfainn sracfhéachaint a thabhairt ar an gcomhad ag an am céanna. Cad a déarfá?'

'Ar éigean a cheadóidh an Cigire duitse a bheith ag féachaint ar aon chomhad anois. Rialacha bainistíochta, a bhuachaill. Dá dtiocfadh sé go barr uisce go raibh duine nár phóilín in aon chor é ag féachaint ar chomhaid i stáisiún na bpóilíní, bheadh sé ina raic. Tuigeann tú sin. Dá rachadh an scéal os comhair an phobail, bheadh iriseoirí ag baint súip as go ceann bliana.'

'*Tu es sacerdos in aeternum.* Nach ionann an scéal é ag póilíní?'

'Ní scoláire Laidine mise in aon chor, Malcolm.'

'Más sagart tú, is sagart go deo tú. Más póilín tú, is póilín go dtí deireadh do shaoil tú.'

Dhein George gáire.

'Tá sé ráite go maith agat, Malcolm. Seo, bíodh ár lón againn, agus ansin rachaimid i dteannta a chéile chun cainte leis an gCigire. Ach tuigfidh tú go mb'fhéidir nach labhróidh sé leat faoin ábhar. An mbeidh deoch agat?'

'Uisce amháin domsa. Chuala mé go raibh tú féin éirithe as, ach feicim gloine beorach os do chomhair amach.'

'Bí cinnte go bhfuilim éirithe as. Ach ceannaím gloine beorach le meabhrú dom féin go bhféadfainn a bheith in umar na haimléise arís, dá mblaisfinn oiread is braon amháin as an ngloine sin. Is mar sin a choimeádaim smacht ar an andúil i mo chorp, nó i mo chnámha, nó i m'inchinn, nó i mo thóin, nó i mo mhagairlí, nó pé áit atá sé ionam.'

'Maith thú, George. Go maire tú. Anois, cad atá acu le hithe? Beidh mairteoil rósta agamsa má tá a leithéid ar an gclár.'

'Agus agamsa. Dála an scéil, is mise a bheidh ag íoc as seo. Costais bhrathadóra. Is tusa an brathadóir, Malcolm. Tá tú ag teacht chun cinn sa saol!'

'Ní fheadar faoi sin. Ach measaim go bhfuil mo lón tuillte agam.'

Tar éis dóibh an lón a ithe thug siad aghaidh ar Shráid an Chaisleáin áit a raibh oifigí na mbleachtairí lonnaithe.

Chuir an Cigire fáilte roimh Malcolm, agus ghabh sé buíochas leis as ucht an scéal faoi iníon Havers a chur faoina mbráid. D'ordaigh sé go gcuirfí an comhad faoi Havers ar fáil do Malcolm, mar go mbeidís go léir ag obair as lámha a chéile sa chás seo, Malcolm san áireamh. D'fhéach sé i dtreo an bhleachtaire George Gibson ansin.

'Ní raibh deis agam labhairt leat, George, faoi ghnéithe áirithe den mhórchruinniú a bhí againn le cigirí phóilíní Learphoill coicís ó shin. Bhí roinnt mhaith cainte faoi ghramaisc eagraithe sa dá chathair ar ndóigh, agus deineadh tagairt dár gcara Nathy Havers. Bhí póilíní Learphoill amhrasach go maith faoin bhfear seo nuair a bhí sé lonnaithe sa chathair. Dúirt siad gur ag teitheadh ó choirpigh eagraithe i Learpholl a bhí Havers nuair a d'fhill sé ar Mhanchain. D'fhág sé go leor naimhde sa chathair ina dhiaidh. Tá Havers cliste. Bhí sé fostaithe i mbanc agus é ina fhear óg, breis agus tríocha bliain ó shin is dócha, agus dhein sé cúbláil ar charn airgid.'

'Tá sé sin sa chomhad ceart go leor, a Chigire.
Ach níl sé ráite gur tugadh chun cúirte riamh é.
Cén fáth nár cuireadh an dlí air?'

'Tá an ceart agat. Níor tugadh chun cúirte é.
Dhein an banc margadh leis. Ní raibh le déanamh
ag an bpleidhce ach éirí as a phost, agus go gcuirfí
an t-airgead ar ais. Agus b'in a tharla - ar
bhealach. Fuair sé cnapshuim fiú ón mbanc nuair
a bhí sé ag fágáil. Ar ndóigh ní ó Havers féin a
tháinig an t-airgead a aisíocadh. Is amhlaidh a
ghoid Havers as cuntas custaiméara amháin. Níor
bhac sé le cuntas ar bith eile. Ba é cuntas athair na
mná é a raibh Havers ar tí í a phósadh. B'eol dó
nárbh airgead dleathach a bhí ann, agus nach
ndéarfaí dada faoi. Ba é athair a chéile a chuir an
t-airgead ar ais sa chuntas. Is mar sin a chinntigh
seisean nach mbeadh an scéal os comhair an
phobail. Bhí a chúiseanna féin ag athair na mná.
Ba chuma le Havers. Thuig sé go maith nach
dtarlódh dada. Bhí a fhios aige go raibh airgead
mídhleathach breise "infheistithe" ag athair a

mhná in áit eile. Cén áit a déarfá?'

'Ní fheadar cén áit, a Chigire. Níl tuairim ar bith agam,' a d'fhreagair George.

'Síntiús maith mór airgid, a bhuachaill. Milliún punt. Íocadh é le páirtí polaitiúil áirithe nuair a bhí siad i gcumhacht. Íocadh an méid ba ghá chun go gceapfaí é i dTeach na dTiarnaí. B'in a tharla, agus tá sé fós i dTeach na dTiarnaí.'

'Agus is dá bharr sin nár cuireadh an dlí ar Nathy Havers?'

'D'fhéadfá a rá, George. Is scéal dochreidte é. Ní raibh an t-eolas sin agam féin go dtí go bhfuair mé é seachtain is an Satharn seo caite ag mórchruinniú na gcigirí. Bhí an t-eolas ag póilíní Learphoill ach ní raibh siad in ann dada a dhéanamh faoi.

'Sea, ní raibh an banc sásta fianaise a thabhairt sa chúirt i gcoinne Havers mar níor theastaigh uathu go mbeadh an scannal i mbéal an phobail. An choir chruthanta, a bhuachaillí.'

'Gan amhras, níor theastaigh ón mboc i dTeach na dTiarnaí, ach an oiread, go mbeadh eolas ag an bpobal.'

'Go háirithe an boc i dTeach na dTiarnaí, Malcolm. Faoi mar a deirim leat, is boc cliste é Havers. Thug sé na cosa leis, go fóill ar aon nós, óna shean-naimhde i Learpholl, agus tá sé fós gan gabháil ag póilíní Learphoill ná póilíní Mhanchain. Sciúradh airgid is mó atá ar siúl aige. Is áis bhreá í an *casino* atá aige anseo sa chathair chun a leithéid a dhéanamh. Bhí póilíní Learphoill sách gar dó minic a ndóthain, ach mar a deirtear ná beir aon siorc ar bord d'árthaigh mura mbeidh tú in ann é a mharú. Is againne atá an deis anois an siorc a tharraingt ar bord agus é a mharú.'

'Agus dá bhféadfaimis an Tiarna a tharraingt

isteach freisin, bheimis ar muin na muice,' a d'fhreagair George.

'Ar éigean a dhéanfar sin,' a dúirt an cigire. 'Tá buanchónaí ar an bhfear sin sa Spáinn le fada an lá. Ní fear óg é faoin am seo, más beo dó in aon chor. Bheimis ag chur ár gcuid ama amú dá rachaimis ar a thóir siúd. Is cuma leis na Spáinnigh coirpigh a bheith ina measc fad is atá siad ag tabhairt airgid isteach sa tír chucu. Agus ní bheadh aon spéis rómhór ann ag stiúrthóir na n-ionchúiseamh poiblí sa tír seo againne, ach an oiread. Ach ná habair gur chuala sibh mise á rá sin. Ná bac an tiarna uasal. Tá an iomad le déanamh againn. Agus leis an bhfírinne a insint níl mórán ama againn chun breith ar Nathy Havers ach an oiread. Fad is atá duine ar bith de threibh na Nuanánach gan a bheith curtha sa phríosún againn caithfear ár neart agus ár maoin a dhíriú orthu siúd.'

Chas an Cigire a cheann i dtreo Malcolm.

'Cogar. An bhfuil a fhios againn an bhfuil Béarla ag an mbean seo i mBiarritz? Más Fraincis ar fad atá aici táimidne i bponc. Níl Fraincis ar bith agamsa seachas *'bière s'il vous plait'* ó laethanta m'óige. An bhfuil Fraincis ag ceachtar agaibhse?'

D'admhaigh siad beirt nach raibh focal ar bith den teanga acu. Dúirt George gur dóichí go mbeadh Béarla ag an mbean i mBiarritz, go mbíonn Béarla líofa ag gach duine san Eoraip sa lá atá inniu ann.

'Freastalaithe boird i gceantar na mBascach san áireamh?' a d'fhiafraigh an Cigire go searbhasach. 'Ní fheadar faoi sin, George. Ar éigean é, a déarfainn. Anois, is é an rud is fearr a dhéanamh ná scéala a chur chun na Fraince tríd an *Sally Army* á rá leis an mbean seo gur aimsíodh a hathair, agus ag moladh di litir a scríobh chuige, agus go gcinnteoidh an *Salvation Army* go bhfaighidh a hathair an litir. Níor ghá di aon seoladh baile a lua go fóill, agus dá mbeadh freagra óna hathair go gcuirfí a litir siúd ar aghaidh chuici trí mheán an Airm arís. Dá bhféadfaimis na litreacha a choinneáil ag teacht agus ag imeacht tríd an *Salvation Army* go ceann tamaill d'fhéadfaimis iad go léir a oscailt agus iad a léamh gach babhta.'

'Ní dóigh liom go mbeadh an Captaen seo againne róshásta leis an modh oibre sin,' a d'fhógair Malcolm.

'Abair leis gur coirpeach an fear seo, agus go bhfuiltear ar a thóir le fada an lá,' a d'fhreagair an Cigire.

'Glac uaimse é, a Chigire, ní oirfeadh an modh oibre seo don Chaptaen ar chor ar bith. Ní dóigh liom go mbeadh sé toilteanach a leithéid a dhéanamh maith ná olc. Is cuid bhunúsach d'obair an *Salvation Army* go mbeadh gach rud ionraic, agus go mbeadh gach rud faoi rún. Caithfear cuimhneamh ar sheift éigin eile.'

'Bhuel, tagaigí ar sheift éigin eile, más ea. Tá obair le déanamh agamsa. Dá mbeadh an fhoireann agus an maoiniú againn níor ghá dúinn ach cúpla oifigeach a chur ag faire ar Nathy Havers ar feadh tamaill bhig. Dá bhféadfaimis é sin a dhéanamh táim cinnte go mbeadh dóthain fianaise i gcoinne an fhir áirithe sin bailithe againn in achar beag ama, gan dua dá laghad. Mura mbeadh an méid ama a chailleann bleachtairí na cathrach seo leis na Nuanánaigh mhúinfimis béasa do Havers gan aon stró.'

D'fhéach sé i dtreo Malcolm.

'Coinnigh i dteagmháil linn, Malcolm. B'fhéidir gur tú féin a chuirfidh deireadh le ré Nathy Havers. Níl dada eile le déanamh agat anois agus tú amuigh ar féarach. Bí cinnte nach mbrisfidh tú aon dlí - sin an t-aon chomhairle atá agam duit. Seachas sin bíodh bhur rogha féin córais oibre agaibh. Go n-éirí libh beirt. Agus go raibh maith agat, Malcolm. Ádh mór, George.'

10

Ar an tríú hurlár de sheanmhonarcha tréigthe ar Ascaill Colesworth i dtuaisceart chathair Mhanchain bhí oifig bheag chúng. Ní raibh de throscán inti ach trí chathaoir. Ní raibh deasc ann ná fón, agus ní raibh cófra ann do chomhaid. Gan fuinneog ar bith sa seomra, rud a chinntigh nach bhfeicfí ón taobh amuigh aon solas ar lasadh laistigh. Bhí tine leictreach ann, agus bolgán amháin ar crochadh ón tsíleáil. Leis an gcóras poiblí sa tsráid a bhí an leictreachas ceangailte go mídhleathach. Ar an láthair sin a thagadh Nathy Havers, Bianca Havers, agus JN mar ab aithne air, le chéile go rúnda dhá bhabhta sa tseachtain.

Ba é Nathy ba thúisce a thagadh gach uair. Bhí sé cúramach, agus tar éis a chinntiú nach raibh duine ar bith eile ar na gaobhair, chuireadh sé teachtaireacht ar an bhfón póca go dtí an bheirt eile. Duine ar dhuine a thagaidís siúd ina dhiaidh.

Ba mhéanar do Nathy an modh maireachtála a bhí á chleachtadh aige. Thuig sé go maith gur bhain contúirtí le gnéithe áirithe dá shaol, agus go gcaithfeadh sé a bheith ag faire amach i gcónaí. Ach thug sé sin sásamh dó. Cineál cluiche fichille a bhí ann, agus ba léir dó féin go raibh seisean níos cliste ná an dream a bhíodh san iomaíocht leis.

Bhí tuiscint nár bheag aige ar chúrsaí bainistíochta. Bhí eolas aige ar leabhair chuntais a réiteach sa tslí nach bhféadfadh cuntasóir gairmiúil, ná oifigeach cánach ach oiread, a mhéar a leagadh ar rud ar bith as alt. Bhí a ghnó ag dul ó neart go neart. Bhí sé fial leis na daoine a bhí fostaithe aige. Bhreactaí suim amháin mar thuarastal dóibh sna leabhair chuntais. D'íoctaí cáin mar a thuillir agus árachas náisiúnta ar na tuarastail sin. Ach bhíodh síntiús in aghaidh na seachtaine mar bhronntanas do gach fostaí ó lámh Nathy féin. Airgead tirim. Is mar sin a chinntíodh sé go mairfeadh an fhoireann dílis dó.

Bhí tráth ann nuair a bhí a ghnó aige i Learpholl, ach bhí dream áirithe i Learpholl a bhíodh i gcomórtas leis a bhí éirithe an-chumhachtach, agus ba bheag leo ionsaithe a dhéanamh ar dhaoine a sheasadh an fód ina gcoinne. Is dá bharr san a d'aistrigh sé ar ais go dtí a cheantar dúchais. Bhí ríshliocht na Nuanánach thar a bheith láidir cheana féin i gcathair Mhanchain. Coirpigh eagraithe fiáine fíochmhara de bhunadh na hÉireann ó dhúchas. Dream gan eagla gan náire. Ach ní bheadh seisean ag cur isteach orthusan beag ná mór, agus bhí súil aige nach gcuirfidís siúd spéis dá laghad sa ghnó a bheadh ar siúl aige féin. Ní raibh aon chúis achrainn acu.

Níorbh ionann modh oibre Nathy Havers in aon chor agus an modh oibre ag an ngramaisc eile. Ní bhíodh gunnaí riamh ag Nathy ná ag a chuid fostaithe, rud nach bhféadfaí a rá faoi na Nuanánaigh. Nach raibh sé le rá i dtaobh duine áirithe díobhsan gur mharaigh sé breis agus scór fear? Agus nach raibh a leath dá shaol caite sa phríosún ag Doiminic Ó Nuanáin, agus gan dhá scór bliain dá shaol caite fós aige?

Níor cuireadh an dlí ar Nathy Havers oiread is uair amháin ina shaol, gan trácht in aon chor ar thréimhse a chaitheamh i bpríosún. Bhí seisean cliste sna rudaí a bhí ar siúl aige. Dá leanfadh sé ar aghaidh agus aire mhaith a thabhairt dó féin níor bhaol dó sa todhchaí. Níor bhaol dó na póilíní, agus níor bhaol dó na Nuanánaigh.

I Manchain a rugadh agus a tógadh Nathy Havers. Bhí tíreolaíocht na cathrach agus na dúiche máguaird go paiteanta aige, agus thuig sé gach a mbíodh ar siúl i bpóirsí cúnga dorcha na cathrach. Bhí daoine agus dreamanna áirithe ar fáil dó ina chathair dhúchais, nuair a bhíodh gá aige leo, ach a dtáillí agus a gcostais a íoc, ar ndóigh.

Bhí a ghnó ag leathnú amach, rud a thug sásamh dó, ach bhí cúraimí breise air dá bharr. Cúrsaí foirne go háirithe. Níor mhór dó a bheith aireach i gcónaí, fiú leis an mbeirt a bhí suite os a chomhair amach anois san oifig bheag chúng ar Ascaill Colesworth.

Ní mar dhlúthchairde a thagadh an triúr i láthair. Bhí cuspóirí dá gcuid féin ag gach duine acu. Ach thuig Nathy go raibh siad ag brath ar an gcomhoibriú eatarthu chun a spriocanna áirithe féin a aimsiú.

Chuireadh sé as do Nathy go mbíodh a gualainn chlé nochtaithe i gcónaí ag Bianca, faoi mar a bhí anois. B'in nós a chleacht sí ón uair a dúirt sé léi nárbh eisean a hathair, ach go raibh sí uchtaithe aige féin agus a bhean chéile. Mhínigh sé a scéal di.

Fágadh í ina naíonán i mála siopadóireachta ar leac dorais Chlochar na Naomh Uile ar Shráid Eccleston. Dhein na húdaráis tréaniarracht teacht ar a máthair, agus fógraíodh an scéal ar raidió áitiúil agus sna nuachtáin, ach níor tháinig a máthair ná duine ar bith eile dá hiarraidh.

Bhí sí uchtaithe acu mar níor theastaigh óna bhean chéile leanaí dá cuid féin a bheith aici. Roghnaigh sé féin obráid dheonach go luath roimh phósadh chun a chinntiú nach mbeadh leanaí ag a bhean chéile, agus mar thoradh air sin ní raibh ar a chumas anois leanaí a shíolrú.

Cheistigh Bianca go dian é. Ar chúis éigin bhí sé thar a bheith tábhachtach di gur Sasanaigh iad a máthair agus a hathair. Bhí mórtas cine ag roinnt leis sin.

Go luath ina dhiaidh sin a thug Bianca aghaidh ar an saor tatúnna. Nuair a d'fhill sí abhaile tráthnóna bhí a gúna sractha go gioblach ag an muineál, agus bhí *MADE IN ENGLAND* breá soiléir le léamh ar chraiceann a gualainne. B'in breis agus deich mbliana ó shin. Lena gualainn nochtaithe is ea a d'fhógair sí *MADE IN ENGLAND* don saol mór.

Ach chaithfeadh Nathy a admháil gur fhan sí dílis amach is amach dá cuid oibre. Bhí sí cliste, cumasach, tréithe ba ghá sa ghnó. Chinntigh Nathy go raibh tuarastal maith aici. Gar do chéad míle punt in aghaidh na bliana dá gcuirfí gach rud san áireamh. Ní raibh ach a thrian de sin á thuairisciú do lucht na cánach.

Ach tar éis dó a insint di nárbh eisean a hathair mhaolaigh ar an gcairdeas eatarthu. Níor aithin sí é mar thuismitheoir ina dhiaidh sin. Comhpháirtithe gnó a bheadh iontu feasta. D'oir sé don bheirt acu a bheith dílis dá chéile ar an mbonn sin, agus oibriú as lámha a chéile.

Gan mhoill, bhog Bianca amach as an teach cónaithe, rud a d'fhág Nathy ina aonar. Chuaigh sí chun cónaithe in árasán dá cuid féin. Chuir sé ionadh ar Nathy nuair a dúirt sí leis nach raibh an t-árasán ceannaithe aici, ach go raibh cíos míosúil á íoc aici. Gan amhras ar bith d'fhéadfadh Bianca árasán a cheannach agus gan aon mhorgáiste a bheith i gceist ach an oiread. Ach mhínigh sí do Nathy dá mba rud é go dteastódh uaithi, am ar bith, imeacht go sciobtha as an tír nár theastaigh uaithi maoin ar bith a bheith aici nach bhféadfadh sí a thabhairt léi.

Bhain an ráiteas géarchúiseach sin geit as Nathy ach thuig sé an chiall a bhí leis. D'oirfeadh sé go maith dó féin roinnt machnaimh a dhéanamh ar an lá a gcaithfeadh sé greadadh leis go pras as an tír. Cé go raibh dóthain cairde aige faoi láthair i measc na bpóilíní, ní fhéadfaí a rá conas a bheadh i gceann bliana, nó i gceann míosa fiú. Bhí costas airgid ar an gcairdeas leis na póilíní ar ndóigh, ach b'ionann sin agus costas ar bith eile. Ba léir do Nathy dá mbeadh easaontas ar bith idir é féin agus Bianca go mbogfadh sí léi láithreach bonn go dtí Miami, áit a gcuirfí fáilte is fiche roimpi. Nó fiú i Las Vegas féin, d'aithneofaí láithreach a cumas oibre sa ghnó.

Agus ní fhéadfaí a shéanadh ach go bhféadfadh a shean-namhaid i Learpholl teacht sa tóir air. Dá dtarlódh sin, níorbh í Bianca amháin a bheadh ag tabhairt aghaidh ar Miami. Chuimhnigh sé gur mhithid dó éirí as an ngnó ar fad, agus bogadh leis go háit éigin iargúlta, iarthar na hÉireann b'fhéidir, agus an saol a ghlacadh go bog. D'fhéadfadh sé slat iascaigh a cheannach dó féin, agus taitneamh a bhaint as an lá.

Smaoinigh sé go mb'fhéidir go mbeadh cairdeas níos fearr idir Bianca agus é féin dá mbeadh cónaí air fós lena iarbhean chéile, rud nach raibh ó d'imigh léi le fear as Obar Dheathain na hAlban cúig bliana déag ó shin. Bhí Nathy ina chadhan aonair ó shin. Ní raibh teagmháil ar bith aige féin ná ag Bianca lena bhean ón am a d'imigh sí. Chaithfeadh sé glacadh leis go raibh Bianca neamhspleách ar an mbeirt acu anois.

Tuairiscí airgeadais a bhíodh á bplé ag an triúr san oifig bheag dhorcha ar Ascaill Colesworth. Le linn do Bhianca a bheith ag léamh amach cuntais na hoíche roimh ré, d'fhan Nathy agus JN ina dtost. Bhí gnó an *casino* ag dul ó neart go neart. An t-aon rud a bhí ag cur as dóibh nach raibh líon mór daoine ag teacht istcach oíche Chéadaoine. Gan flúirse airgid ag daoine ar an gCéadaoin? Daoine ag glacadh sosa i lár na seachtaine? Caitheamh aimsire éigin eile ar fáil do dhaoine ar an gCéadaoin? Ní raibh a fhios acu.

Bhí cúpla turas tugtha ag Nathy ar Las Vegas féachaint conas a dhéantaí an gnó thall. Go hiondúil bhíodh gach *casino* i Vegas plódaithe go doras gach oíche sa tseachtain. B'ionann Céadaoin agus Aoine acu. Ba chóir go bhféadfaidís a chinntiú go mbeadh an scéal amhlaidh acu féin i Manchain. Caillteanas a bhí orthu nuair nach raibh slua mór ag teacht isteach ar an gCéadaoin. Ní fhéadfaí ach beagán den sciúradh airgid a dhéanamh gan ach slua beag i láthair. Ar an sciúradh sin a bhí an brabús. Chaithfidís teacht ar réiteach éigin ar an bhfadhb.

Thug JN sonraí faoin ngnó sa gharáiste. Bainistíocht an gharáiste a bhí mar chúram air. Ní raibh aon bhaint aige siúd leis an *casino*.

D'fhógair sé gur baineadh ceithre charr as a chéile le dhá lá anuas, agus go raibh *BMW* agus *Ford Mondeo* ar fáil dóibh aon oíche ba mhaith leo. Bheadh breis agus ceithre mhíle punt brabúis acu san iomlán as carranna na seachtaine, tar éis do gach duine eile a chuid a fháil.

Bhí gnó dleathach deisiúchán carranna don ghnáthphobal ar siúl sa gharáiste freisin, chun go mbeadh leabhair chuntais ar fáil do lucht na cánach, dá dtiocfaidís. Níor deineadh tagairt dó sin riamh ag na cruinnithe. Ní raibh suim ar bith ag aon duine acu sa ghnó dleathach. Ní raibh ansin ach na mionphinginí. Bhí sé áisiúil freisin go bhfeicfeadh na póilíní gnó dleathach ar siúl, dá mba rud é go dtiocfadh duine acu ag smúrthacht.

Fiú is go raibh Nathy ag éisteacht leis an tuairisc ó JN, bhí smaointe eile ina chloigeann. Déarfadh Nathy nár dhuine santach é. Chinntigh sé go raibh carn maith airgid ann in aghaidh na seachtaine do Bianca agus do JN. Air sin a bhí a ndílseacht ag brath. Ba dheacair dó a shocrú cé acu ba thúisce a dhéanfadh feall air, dá ndéanfadh. Ach is ar éigean a bheadh comhoibriú ina leithéid de ráig idir an bheirt, ar aon nós. Ní raibh meas madra ag Bianca ar JN.

'JN', a theastaigh uaidh a ghlaofaí air. Níor fháiltigh sé roimh aon iarracht ar a ainm ina iomláine a ghairm air, ná a shloinne as féin, ná a ainm baiste as féin – is é sin, má baisteadh an smuilcín riamh. Bhí srón Ghiúdach air, agus istigh taobh thiar de na spéaclaí bhí súile beaga dorcha mar a bheadh súile Giúdaigh. Ba dheacair a rá ar Chríostaí in aon chor é.

Le fada an lá bhí sé de nós ag Nathy cuireadh chun bia agus óil i mbialann sa chathair a thabhairt do dhuine ar bith a bheadh tagtha i mbun oibre sa ghnó. Is mar sin a chuireadh sé aithne orthu. Ag deireadh na hoíche agus é 'ar deoch' mar dhea, d'fhéadfadh sé ceist chasta ar bith a chur agus eolas riachtanach a fháil ón bhfostaí úr.

Ba mar sin go díreach a fuair sé amach gur Joseph Comyn ab ainm don fhear a raibh sé ráite aige leis gur Joseph Newcomyn ab ainm dó, agus ar mhian leis go nglaofaí JN air. Tráth den saol bhí Joseph Comyn fostaithe leis an tSeirbhís Shóisialta in Rochdale, agus ar chúis éigin níor mhaith leis go dtiocfaí air. Dá bharr sin a ghlac sé Newcomyn mar shloinne nua, agus JN mar ainm aitheantais.

Ní raibh Nathy in ann a rá le cinnteacht ar dhein JN rud ar bith as bealach dáiríre, ach bhí sé ar a choimeád ó na póilíní - ó na húdaráis a dúirt sé féin - ach ba iad na póilíní, is dócha, a bhí i gceist aige. Ba leor le Nathy an méid sin. Mura sceithfeadh JN glan amach air, bhí an baol ann go bhféadfadh sé margadh a dhéanamh leis na póilíní, dá maithfí dó a choiriúlacht féin ach eolas ar ghnó Nathy a thabhairt dóibh.

Sea, chaithfí é a chur ina luí ar JN, ar bhealach áirithe, go bhféadfadh tionóisc tarlú go tobann dó dá mba rud é go raibh sé mídhílis dá fhostóir. Chaithfeadh Nathy a chinntiú gur thuig JN cúrsaí an tsaoil i Manchain.

Nuair a bhíodh deireadh déanta san oifig ar Ascaill Colesworth scaraidís ina nduine is ina nduine. Bianca is túisce a d'fhágadh an cruinniú. Cúig noiméad nó mar sin níos déanaí bhuaileadh fón póca Nathy. Chloiseadh sé guth Bhianca. 'Go breá,' a d'fhógraíodh sí. Mhúchtaí an fón póca láithreach. Thugadh Nathy nod do JN agus bhailíodh seisean leis síos an staighre. Cúpla nóiméad níos déanaí mhúchadh Nathy an solas san oifig bheag dhorcha, agus tharraingíodh sé an doras ina dhiaidh. Ní bhíodh gá le glas.

11

Bhí sé de nós ag Nathy uair an chloig a chaitheamh san ionad gleacaíochta gach lá sula dtéadh go dtí an *casino*. Gach tráthnóna gan teip. Mura mbeadh duine folláin ina chorp conas a mhairfeadh sé ceithre scór bliain? Ba leor do dhuine ar bith an ceithre scór, ach níor leor leis féin lá níos lú ná sin. Ag aois a cheithre scór bheifí ag brath ar dhaoine eile agus ní bheadh ciall in aon chor leis sin. Ba chóir don bhás teacht go dtí gach duine in aois a cheithre scór. Ach bhí dualgas ar gach duine aclaíocht rialta a chleachtadh, agus bia nádúrtha folláin a ithe. Chinnteodh sin go mbeadh duine i mbarr a shláinte i gcónaí.

Ar an Aoine i ndiaidh Domhnach Cásca tar éis dó uair an chloig a chaitheamh san ionad gleacaíochta thug Nathy aghaidh ar a theach cónaithe chun an chulaith dhubh, an léine bhán agus an carbhat cuachóige a chur air. B'in é a fheisteas *casino*.

Nuair a shroich sé an doras chuala sé tafann an dá mhadra ar chúl an tí. Ba léir gur aithin siad céim an mháistir agus é ag teacht i dtreo an dorais. Bhí clúdach litreach cuibheasach teann ar an urlár taobh istigh de dhoras. Nuair a d'oscail Nathy é d'aithin sé suaitheantas an *Salvation Army*. Ina theannta sin bhí clúdach litreach eile faoi iamh ann gan oscailt. Bhí Nathy leis féin scríofa le peann ar bhrollach an chlúdaigh.

Thosaigh sé ar an litir ón *Salvation Army* a léamh. Bhí *Príobháideach agus Faoi Rún* ar bharr an leathanaigh. Dúradh go raibh achainí faighte acu óna gcomhghleacaithe i mbaile Tonniens na Fraince. Bhí bean i mBiarritz ag iarraidh teacht ar a hathair i Manchain, agus mar thoradh ar a gcuid fiosruithe tuigeadh dóibh go mb'fhéidir gurb é féin a bhí i gceist.

Dearbhaíodh nach raibh a ainm ná a sheoladh tugtha acu don bhean, agus nach dtabharfadh ach an oiread, gan cead a fháil uaidh féin. Moladh don bhean i mBiarritz litir phearsanta a scríobh chuige, rud a bhí déanta aici, agus bhí an litir faoi iamh leis seo faoina clúdach féin. Moladh di siúd freisin gan a hainm ina iomláine ná a seoladh a lua go fóill.

Dá mbeadh suim aige dul i dteagmháil leis an mbean áirithe seo, ba chóir dó scríobh chuici ar na coinníollacha céanna a bhí luaite léi féin. Ní raibh a shloinne ag an mbean agus sheolfadh *An tArm* litir uaidh ar aghaidh chuici faoina clúdach féin go príobháideach agus faoi rún.

Mhol siad do Nathy a bheith aireach, nach é inniu ná inné a buaileadh bob den chéad uair ar dhaoine ina leithéid seo de chás, gur mhinic nár theastaigh ó dhaoine áirithe ach airgead a mhealladh ó dhaoine neamhurchóideacha eile.

Ar deireadh ghuigh siad a mbeannachtaí air féin agus ar a threibh.

Baineadh geit as Nathy. Ní raibh coinne dá laghad aige lena leithéid seo. Turas amháin ina shaol a bhí tugtha aige ar Biarritz na Fraince. Scór go leith bliain ó shin, nó níos mó b'fhéidir.

Bhíodh sé de nós ag foirne rugbaí corrchluiche dúshláin a imirt thar lear i mí an Mhárta go háirithe, ag deireadh an tséasúir. Leithscéal chun spraoi i bhfad ó bhaile. Bhí Nathy mar chúltaca láir le cumann rugbaí *Manchester Whitesides*. Bhí an turas ar Biarritz imithe glan as a chloigeann le fada an lá. Chaill *Whitesides* an cluiche chomh fada is ba chuimhin leis.

Chaith siad go léir an oíche roimh an gcluiche ag gabháil thart i gclubanna damhsa ar an mbaile. Má tháinig seisean ar bhean éigin níor chuimhin leis í, nó má bhí bualadh craicinn i gceist. An-seans go raibh. Nach ar a shon sin a chuaigh siad go léir amach chun na Fraince? Nárbh in é a theastaigh ó fhir agus ó mhná? Cosúil le duine ar bith eile ar an bhfoireann bheadh dúil aige féin i ngiota eachtrannach. Ba dhócha go raibh sé ólta ag an am. Má bhí, ní bheadh cuimhne ar bith aige ar aon bhean.

Ach anois má luigh sé le bean áirithe, an raibh an bhean seo a bhí ag scríobh chuige ó Biarritz á rá leis gurbh ise a leanbh? Gurbh ise a iníon? Dhein Nathy gáire beag. B'fhéidir go dtiocfadh deichniúr eile chuige fós agus an scéal céanna acu, agus údar acu leis. Bhí greann ag baint leis seo dáiríre. Chaith sé go raibh tríocha bliain ann ó bhí sé féin agus na *Whitesides* i mBiarritz. Ba chóir don bhean seo, pé hí féin, ciall a bheith aici seachas a bheith ag iarraidh bob a bhualadh air. Bhí an ceart ag an *Sally Army* nuair a dúirt siad leis gur nós é ag daoine áirithe iarracht a dhéanamh ar airgead a mhealladh ó dhaoine neamhurchóideacha. Bí cinnte, an babhta seo, nach n-éireodh leis an mbean seo an dubh a chur ina gheal ar Nathy Havers.

Ach sin ráite aige, b'fhéidir nach ag lorg airgid in aon chor a bhí sí. Ar bhealach, ba dheas dá mbeadh iníon nó mac dá chuid féin aige. Rud nárbh fhéidir, ar aon nós, mura rachadh sé faoi scian. Obráid bheag bhídeach a bheadh ann. B'in é a dúirt na saineolaithe go léir leis, ach nár ghá go n-éireodh leis. Níor chreid sé go bhféadfaí an rud a deineadh a chur ina cheart arís. Le fírinne bhí scanradh ar Nathy roimh sceanairt ar bith. Agus dáiríre, bhí sé dulta i dtaithí ar shaol uaigneach an chaonaí aonair, gan bean ná clann mar chuid dá shaol. B'fhéidir gurbh fhearr an scéal a fhágáil amhlaidh.

Fiú is go raibh sé fiosrach, níor bhraith sé brú dá laghad air an litir ón bhFrainc a léamh.

Chuaigh sé amach sa chlós, go dtí na madraí. Scaoil sé carn cnónna bia as an mála mór isteach sa dá mhias chucu. D'fhéach sé ar umar an uisce. Dóthain ann. Bhí *Presa* agus *Canario* ag éirí an-mhór. Chaith sé go raibh meáchan breis agus sé chloch i *Presa* faoin am seo, agus breis agus ceithre chloch i *Canario*. Agus bhí siad fós ag fás. Bhí airde dhá throigh go dtí a ghualainn i *Presa*.

B'fhearr an pór iad seo ná an dá *Tosa Seapánacha* a bhíodh aige. Bhí dualgas air de réir dlí iad sin a chlárú leis na húdaráis, agus micrishlis a chur ina gcraiceann, rud a thaispeánfadh am ar bith cá háit ar domhan a raibh siad. Leis an bpór *presa canario* níor ghá sin. Madraí lúfara, mórchnámhacha iad a stopfadh duine in áit na mbonn, a dúirt an fear a dhíol leis iad. Bhí an chuma sin orthu ceart go leor.

Tar éis dó a mbéile a thabhairt do na madraí tharraing sé chuige litir na Fraince.

'Go sábhála Dia sinn,' a ghlaoigh sé amach os ard. Mar b'in díreach an nóiméad a rith sé leis go mb'fhéidir gur i bhFraincis a bhí an litir. Má bhí beagáinín Fraincise aige blianta fada ó shin tar éis dó an scoil a fhágáil, bhí sé cinnte nach mbeadh tuiscint ar bith aige ar an teanga faoin am seo.

D'oscail sé an clúdach. De ghnáth bhíodh boladh láidir cumhráin ar litir ar bith ó bhean. Chuir sé an litir lena shrón. Boladh ar bith.

Díreach é. Díreach faoi mar a cheap sé. Fraincis ar fad a bhí inti.

'Cher Père,'

Bhuel, thuig sé an chuid sin, ceart go leor. Nár dhána an mhaise ag an mbean seo é. D'fhéadfadh gur fear ar bith ar domhan é a hathair. Má bhí a máthair toilteanach dul ag suirí leis siúd, chaith sé go raibh sí toilteanach luí le fear ar bith. Bean ghéarchúiseach gan amhras an bhean seo a bhí ag scríobh chuige. Bhuel, ní éireodh léi aon bhob a bhualadh ar Nathy Havers, pé cleasaíocht a bhí ar siúl aici.

Ní raibh ag éirí go rómhaith le Nathy leis an litir. Ní raibh aon fhoclóir Fraincise sa teach aige. Ach bhí cur amach nár bheag aige ar ríomhairí. Thuig sé go raibh aistriúcháin ar fáil ar an ngréasán. Ní raibh le déanamh ach teacht ar shuíomh oiriúnach. Tar éis dó roinnt cuardaigh a dhéanamh, d'aimsigh sé ceann.

A Dhaid dhíl,

Ní bheidh aon choinne agat le litir uaimse. Gan amhras níl aon aithne againn ar a chéile. Le fada an lá bhí a fhios agamsa gur Sasanach é m'athair, agus gur as Manchain duit, ach is dócha nach raibh aon tuairim agatsa go raibh cónaí ar bhean i mBiarritz na Fraince ar iníon leatsa í.

Is é seo an chéad uair agam i mo shaol litir a scríobh go dtí m'athair, agus is bean fhásta mé anois. Níl sé éasca scríobh chugat.

Ní raibh lá de mo shaol nár chuimhnigh mé ort. Nuair a bhí mé i mo dhéagóir, nuair a thagadh cuairteoirí samhraidh ó Shasana go dtí Biarritz, dá bhfeicfinn fear ard a raibh Béarla á labhairt aige bheinn ag stánadh air féachaint arbh fhéidir gurbh eisean m'athair.

Ní raibh deis agam iarracht a dhéanamh ar theacht ort go dtí le déanaí. Mura mbeadh dlíodóir áitiúil a chabhraigh liom ní bheadh a fhios agam cad ba chóir dom a dhéanamh. Is fear breá cineálta é. Táim go mór faoi chomaoin aige.

Dheineas roinnt mhaith machnaimh sular shocraíos ar í seo a scríobh. Glacaim leis go bhfuil do shaol féin agatsa, tú pósta agus do theaghlach fásta suas agat is dócha, agus gur ar éigean atá aon chuimhne agat ar an méid a tharla i mBiarritz sa bhliain 1975. Bí cinnte nach bhfuil sé i gceist agam deacrachtaí ar bith a chruthú duit i do shaol féin nó i do theaghlach. Ní hé sin atá ar intinn in aon chor agam. Ach má tá aon chuimhne in aon chor agat ar mo Mhaman, b'fhéidir go mbeifeá toilteanach teacht chun cainte léi. Deir sí go raibh sibh beirt i ngrá lena chéile. Táim cinnte go raibh tusa ceanúil uirthi. Is bean bhreá stuama í Maman. Bhí sí thar a bheith dathúil nuair a bhí sí óg. Thitfeadh fear ar bith i ngrá léi.

Tá sí ag brath go huile agus go hiomlán ormsa, agus

ní mór an teacht isteach atá agamsa. Tá post agam i mbialann Iodálach mar fhreastalaí boird ó bhí mé in aois a ceathair déag. Bhí sé sásúil go leor sa mhéid go raibh mo dhóthain á thuilleamh agam chun beatha a chur ar fáil dúinn féin ag baile. Ach le déanaí fuair uinéir na bialainne bás i dtionóisc bhóthair. Is ormsa atá cúram na bialainne faoi láthair ach níl aon taithí bhainistíochta agam agus níl a fhios agam cad a tharlóidh am ar bith.

Tá Eaglais Ste-Eugénie gar don bhialann ina mbím ag obair, agus téim ann gach uile lá de mo shaol agus deirim paidir ar do shon. Déarfaidh mé paidir bhreise ar do shon anocht.

Ba mhór agam scéala a fháil uait. Tá súil agam go scríobhfaidh tú chugam.

Le grá ó d'iníon,

Thanielle.

Léigh Nathy an litir faoi dhó. Dar leis an mbean seo gur sa bhliain 1975 a bhí sé i mBiarritz. Seans go raibh an ceart aici. I mí na Samhna 1975 a phós sé. A leithéid de scéal! Ach nárbh aisteach é? Níor iarr an bhean seo aon charn airgid air. Cén míniú a bhí air sin?

Cén fáth nár thug a mháthair aire di féin nuair a luigh sí leis, má dhein? Ba é rud ab fhearr a dhéanfadh sé anois ná fanacht amach ón gcúram seo, go fóill ar aon nós. Breithnigh an abhainn sula dtéir ina cuilithe. Nárbh é sin an sean-rá?

Chuir Nathy an litir i leataobh. Bhí obair le déanamh aige. Thug sé faoin staighre suas, agus níorbh fhada go raibh an chulaith dhubh, an léine bhán agus an carbhat cuachóige air.

Ar a bhealach go dtí an *casino* le linn dó a bheith sáite sa trácht, bhí deis aige a thuilleadh machnaimh a dhéanamh ar an litir ón mbean i mBiarritz.

Bhí roinnt blianta caite ó d'imigh a bhean chéile leis an Albanach. Nuair a phós sé Katherine, nó *'Cuddles'* mar ab fhearr léi a ghlaofaí uirthi, i mí na Samhna 1975, níor rith sé leis ach go mbeidís le chéile go dtí lá Philib a' Chleite. Níor cheap sé riamh go dtréigfeadh sí é.

Bhí *Cuddles* thar a bheith mórálach as, mar thoradh ar a éacht in aghaidh an bhainc agus a hathar. Ba é Nathy an laoch ba mhó ar domhan aici tar éis dó a scéal a insint di le linn dóibh a bheith ar mhí na meala in oileán Jersey.

'Togha fir, Nathy. Togha fir. Maith thú. Maith thú. Agus maith thú arís,' a deireadh sí. 'Bheadh milliún punt breise le roinnt idir mo dhearth*á*ir Roger agus mé féin tar éis bhás m'athar mura mbeadh sé caite leis an bpolaitíocht aige. Chun go bhfaigheadh sé ceapachán mar Thiarna i dTeach na dTiarnaí! A leithéid de sheafóid! Milliún punt caite uaidh aige ar neamhní. Is amadán é m'athair. Maith thú a Nathy. Maith thú, maith thú, a thaisce.'

Thuig Nathy go maith gur airgead mídhleathach ba mhó a bhí ag muintir Katherine. Bhí brabús mór déanta acu ar ghnó na mianach diamaintí in Sierra Leone. Níor thaitin sé le Nathy go mbíodh cos ar bolg á bualadh ar an gcine gorm a bhíodh ag obair sna mianaigh. Ní raibh sé ceart ná cóir, dar leis, nach raibh tuarastal ceart á íoc leis an lucht oibre, ná coinníollacha córa oibre acu, ná modhanna oibre sábháilte ach oiread. Cad eile ach moladh a bhí tuillte aige, má ghoid sé ó dhaoine a raibh a gcuid saibhris féin faighte acu trí chaimléireacht?

Moladh in aghaidh an lae a fuair sé ó *Cuddles,* ach ní bhíodh sí róbhuartha in aon chor faoi dhrochstádas an chine ghoirm.

Nuair a shroich Nathy agus *Cuddles* Oileán Jersey i mí na Samhna 1975 chun mí na meala a chaitheamh ann, bhí ceiliúradh ar siúl ann mar chomóradh tríocha bliain ar ruaigeadh na nGearmánach as na hoileáin. Ní raibh ceachtar acu róthógtha le muintir an oileáin. Daoine leisciúla lagmhisniúla, dar leo, go háirithe mar gur cheadaigh siad do na Gearmánaigh seilbh a ghabháil ar an Oileán ag tosach an chogaidh, gan fiú is piléar amháin a scaoileadh leo. Ansin cheadaigh siad dóibh fanacht i seilbh na n-oileán go léir ar feadh na gcúig bliana fada a mhair an cogadh.

Ba í long na gComhghuaillithe an *HMS Bulldog* is túisce a tháinig i gcabhair ar na hOileáin, agus a d'fhuascail iad ó chumhacht na nGearmánach. Oileán Guernsey ar dtús, agus ansin oileán Jersey.

Bhí córas idirnáisiúnta baincéireachta agus cineál rialtais dá gcuid féin acu ar Oileán Jersey. Stát Jersey a deiridís. D'oscail Nathy Havers agus a bhean chéile Katherine cuntas bainc ann. Sa chuntas sin a cuireadh an chuid ba mhó den dá chéad caoga míle punt a bhí goidte ag Nathy ón gcuntas sa bhanc. Nuair a d'imigh *Cuddles* leis an Albanach roinneadh a raibh sa chuntas idir í féin agus Nathy.

D'oscail Nathy cuntas eile go luath ina dhiaidh sin dó féin faoin ainm bréige *Bulldog & Co* in ómós do long na gComhghuaillithe. Sa chuntas sin a chuireadh sé an brabús mídhleathach ón sciúradh airgid sa *casino*, agus as réabadh na gcarr goidte sa gharáiste.

Ba chúis sásaimh do Nathy go raibh i bhfad níos mó ná dhá chéad caoga míle punt sa chuntas áirithe sin anois. I bhfad níos mó. Sea, d'éirigh go maith leis thar na blianta ceart go leor. Ba mhinic a deireadh sé leis féin go mbíonn buntáiste ag an té atá cliste. Ba é sin an dearcadh a bhí ag Nathy Havers ar a chumas féin.

12

Chuir an litir ón bhFrainc Nathy ag smaoineamh ar an saol a bhí á chaitheamh aige. B'fhéidir gur mhithid dó saol úrnua a chruthú dó féin. Bhí sé ina chadhan aonair ar feadh tréimhse rófhada. Dá mb'iníon leis an bhean i mBiarritz nár dheas é dá gcuirfidís aithne ar a chéile? Ach chaithfeadh sé a bheith aireach in aon phlé a bheadh aige léi. Cá bhfios ná gur díoltas a bhí ar aigne aici? D'fhéadfadh sí a ghnó agus a shaol a scrios dá mbeadh eolas aici ar ghnéithe áirithe de. Níor bhaol dó í féin ná a mháthair, ach a bheith san airdeall.

Ba é an chéad rud a chuirfeadh sé roimhe ná fiosrú a dhéanamh faoin mbean seo. Dá mba rud é go mbeadh an bhean, a iníon mar a mhaígh sí, toilteanach teacht go Manchain d'oirfeadh sé dó post sa *casino* a thabhairt di. Chaithfeadh sí a bheith dathúil, caol tanaí, slachtmhar, díreach cosúil le Bianca. Ní cheadódh sé *MADE IN FRANCE* ar ghualainn na mná seo ná aon tseafóid mar sin. Chaithfeadh sí a bheith cumasach i mbun gnó freisin ar ndóigh. Mura raibh gruaig ſhionnbhán uirthi cheana féin d'fhéadfaí é sin a leigheas gan aon stró, agus dá mbeadh gá le méadú brollaigh ní bheadh costas rómhór air sin sa lá inniu ach an oiread. Chaithfeadh sí a bheith toilteanach craiceann a nochtadh. I *casino* a bheadh sí ag obair agus ní i gclochar.

Ach ar ndóigh ní oirfeadh sí dó in aon chor dá mba stumpa beag ramhar í. Ach an raibh an bhean seo i mBiarritz pósta? An raibh fear céile agus scata leanaí aici sa bhaile? Chaithfeadh sé eolas a fháil ar an mbean seo sula ndéanfadh sé cinneadh ar bith.

Faoi lár mhí Aibreáin bhí a aigne socraithe aige.

Baineadh geit as JN nuair a d'fhiafraigh Nathy de an raibh pas aige. Nuair a d'fhreagair sé go raibh, thug Havers cuireadh dó béile a chaitheamh ina theannta sa chathair. Chuir sin imní ar JN. Ba chuimhin leis an béile a bhí acu an uair dheireanach, nuair a d'admhaigh sé gur Joseph Comyn ab ainm dó, seachas Joseph Newcomyn mar a bhí ráite aige. Ní raibh a fhios aige cad a bheadh i ndán dó an babhta seo.

Níor mhaith le JN fearg a chur ar Nathy Havers, fiú is gur réitigh siad go maith le chéile, agus nach raibh aon chúis achrainn riamh eatarthu. Fear mór groí láidir ab ea Havers. Bhí meáchan sé chloch déag ar a laghad san fhear, agus dhá nó trí orlach leis na sé troithe d'airde ann. Thuig JN go maith go mb'fhéidir nach é an oiread sin léinteacha glana a bheadh ag teastáil uaidh, dá gcuirfeadh sé in aghaidh a fhostóra.

Bhí JN thar a bheith sásta a chlab a choiméad dúnta go daingean faoi gach a raibh ar siúl sa gharáiste. Bheadh tréimhsí sa phríosún i gceist do dhaoine áirithe dá bhféadfaí fíricí an ghnó sin a chruthú, é féin ina measc. Mura mbeadh an córas oibre cliste a bhí leagtha amach ag Nathy Havers bheadh a bport seinnte acu go léir fadó. Ní thugtaí carr ar bith isteach sa gharáiste nach bhféadfaí é a réabadh as a chéile taobh istigh de dhá uair an chloig. Ansin, gan mhoill, scaiptí na páirteanna ar fud na cathrach agus níos faide ó bhaile, chun a chinntiú nach mbeadh aon fhianaise ar aon láthair amháin. Scriostaí na huimhreacha ar na páirteanna. Bhí sé ina riail dhaingean nach gceadaítí aon charr isteach nach raibh dath dubh air.

Bhí airgead maith á thuilleamh ag JN, agus bhí tábhacht leis sin. Bhí cneamhaireacht ar siúl sa *casino* freisin, ach ba chuma leis sin. Ní raibh aon bhaint aige siúd leis an *casino*.

Nuair a bhí an béile thart, thug Nathy a chuid orduithe dó.

'JN, cuir bior ar do chluasa anois. Teastaíonn uaim go rachfá go Biarritz na Fraince ar feadh cúpla lá. Aimseoidh tú bialann Iodálach ann. Níl ainm na bialainne agam, ná ainm na sráide ar a bhfuil sé. Tá Eaglais Ste-Eugénic gar dó. Ní fhéadfadh níos mó ná dhá bhialann Iodálacha nó trí cinn a bheith in aon bhaile Francach, agus b'fhéidir nach bhfuil ann ach an t-aon cheann amháin. Táim cinnte go mbeidh sé éasca teacht air. Ní cathair mhór í Biarritz, ach a mhalairt. Seachas sin, is baolach nach bhfuil aon chur amach agam air. Ní rabhas féin i mBiarritz riamh i mo shaol.'

Chuir Nathy a lámh i bpóca a chasóige móire. Thóg sé amach ceamara agus shín sé go dtí JN é . Chuir sé a lámh ansin i bpóca eile agus tharraing sé amach físcheamara.

'Beir leat na ceamaraí seo. Téigh go dtí an bhialann agus bíodh béile agat ann. Téigh ar ais arís níos déanaí agus bíodh an dara béile agat mura gcuirfidh tú do ghnó i gcrích an chéad uair.

'Tóg pictiúirí den taobh istigh, den taobh amuigh, den fhoireann, gach a mbaineann leis an áit, an radharc amach ar an tsráid nó ar an bhfarraige. An dtuigeann tú mé? Ar ndóigh má fheictear tú i mbun oibre bíodh leithscéal éigin ullamh agat. Cuimhnigh gur furasta éalú ó chruachás ach a bheith múinte le daoine. Ná bí mór ná beag leo, ach bíodh flúirse cainte agat leo, agus bí ag gáire. Ní mór daoine a chur ar a suaimhneas. Bí thar a bheith cineálta le daoine, agus déanfaidh siad rud ar bith duit. Bíodh mar mhana agat i do ghnó leo nach bhfuil sa saol seo ach gaoth agus toit.

'Fág síneadh láimhe flaithiúil ag an bhfreastalaí - gan dul thar fóir ar ndóigh. Bheadh daoine amhrasach fút dá ndéanfá sin. Ná hól aon deoch mheisciúil. Ní oibríonn an mheabhair i gceart nuair a bhíonn cúpla gloine fíona faoin bhfiacail ag duine.

'Bí aireach. Má chuirtear ceist ort i mball ar bith abair gur as Canterbury duit. Is breá le Francaigh eaglaisí móra, agus bíodh an comhrá agaibh faoi Ard-Eaglais Canterbury. Ná luaigh le duine ar bith, am ar bith, gur as Manchain duit.

'Beir leat abhaile na ceamaraí chugamsa ansin nuair a bheidh do chuid oibre déanta agat. Ná tabhair do dhuine ar bith eile iad ach dom féin amháin. Ná habair le duine ar bith ar domhan go raibh tú sa Fhrainc, ná cad a bhí ar siúl agat. An dtuigeann tú é sin go léir? Abair liom go dtuigeann tú an méid atá ráite agam leat.'

Gheall JN dó gur thuig sé gach pioc dá raibh ráite leis.

Chuir Nathy a lámh i bpóca a chasóige móire arís. An babhta seo tharraing sé amach ticéid taistil agus dorn nótaí airgid, agus shín sé trasna an bhoird iad.

'Tá míle euro ann. Ní ghlactar le puint na Banríona sa Fhrainc. Beidh tú ag filleadh tar éis dhá lá. Mura dtiocfaidh tú ar ais chugam, rachaidh mé féin ar do thóir chun mo chuid airgid agus mo cheamaraí a fháil uait. An dtuigeann tú mé?'

'Tuigim tú, breá soiléir, a Uasail Havers. Tuigim cad atá le déanamh agam, agus conas a dhéanfaidh mé é.'

Ina aigne féin ba rómhaith a thuig JN cad a bheadh i ndán dó mura bhfillfeadh sé, agus nach ceamaraí agus airgead amháin a bheadh i gceist dá ndéanfadh sé rud ar bith as bealach. Bhí Nathy sásta go maith freisin ina aigne gur thuig an smuilcín os a chomhair cad a bheadh i ndán dó. Smuilc smeartha agus malaí gearrtha.

Agus an gnó déanta aige d'éirigh Nathy ón mbord agus chuaigh sé go dtí an deasc chun an bille a íoc.

Ansin chas sé go tobann i dtreo JN.

'Cogar,' ar sé, 'an bhfuil aon tuiscint agat ar Fhraincis?'

D'admhaigh JN go raibh tuiscint éigin aige ar an teanga, agus go bhféadfadh sé roinnt mhaith a léamh, ach nach raibh aon chleachtadh rómhaith aige ar í a labhairt.

'Ba é an scéal céanna agam féin é, tráth den saol' a d'fhreagair Nathy. 'Ní fhéadfainnse Fraincis a léamh ná a labhairt anois. Ach ní bheidh gá agat le puinn Fraincise ar aon nós. Tá Béarla go forleathan ag daoine ar fud na Fraince, agus gan amhras ar fud an domhain mhóir, agus bímis buíoch gur mar sin atá. A luaithe a ghlactar leis gurb é an Béarla an teanga is tábhachtaí ar domhan is amhlaidh is fearr é.'

13

Nuair a d'fhéach JN ar na ticéid chonaic sé go mbeadh an eitilt ag fágáil aerfort Mhanchain ar a deich nóiméad tar éis a seacht an mhaidin dar gcionn. Bheadh cúpla uair an chloig codlata aige san árasán sula gcaithfeadh sé éirí arís.

Ba chuma le JN cén chúis a bhí leis an turas amach chun na Fraince. Ní raibh sé féin riamh i mBiarritz ach oiread le Havers. Chaith sé go raibh Nathy ag smaoineamh ar an mbialann a cheannach, nó go raibh margadh éigin á dhéanamh aige le dream Iodálach sa bhaile ar leo an bhialann thall. Nuair a bhí Nathy Havers sáite i ngnó d'fhéadfadh rud ar bith a bheith ar siúl.

Shroich JN an t-aerfort breá luath an mhaidin dar

gcionn. Bhí sluaite ag teacht agus ag imeacht. Bhí an mhaidin go deas bog. Ba chóir go mbeadh sé níos boige fós i ndeisceart na Fraince. Ag deireadh mhí Aibreáin ba chóir go mbeadh tús an tsamhraidh acu i mBiarritz.

Bhí a chárta bordála ina ghlaic aige gan mhoill. Ní raibh ach mála láimhe mar bhagáiste aige agus ghabh sé tríd an gcuardach slándála gan dua.

Bhuail sé faoi. Mhachnaigh JN nach mbeadh muintir Rochdale in ann teacht go héasca air dá mbeadh buanchónaí air sa Fhrainc. Ach dáiríre, b'fhéidir go raibh maolú tagtha ar a gcuid feirge. B'fhada an tréimhse é ón mbliain 1991 go dtí anois. Ach dá mba ea féin, ar éigean a ligfeadh tuismitheoirí Rochdale cúrsaí mar sin i ndearmad. Déagóirí a bheadh ina gcuid leanaí siúd anois, agus iad lán d'fhearg.

Níor ghlac JN féin riamh leis go raibh adhradh an diabhail agus cleachtais mhíchuí eile ar bun ag tuismitheoirí i gceantar Rochdale. Ní raibh déanta aige féin ach mar a d'ordaigh an bainisteoir foirne sa tSeirbhís dó. Nuair a thóg an tSeirbhís fiche leanbh óg as cúig theaghlach ní eisean a bheartaigh go dtógfaí iad. Ba iad na bainisteoirí agus na saineolaithe a dhein gach cinneadh. Ba iad siúd a dúirt go raibh cleachtais an diabhail ar siúl leis na leanaí óga.

Ach é féin amháin a bhí freagrach as dul go dtí Oileán Orkney nuair a tháinig macasamhail scannail Rochdale chun solais ann. Fiosracht ba bhun lena thuras, féachaint conas a chuirfí cúrsaí ar na hoileáin i gcomparáid le scéal Rochdale. An raibh bunús le Rochdale nuair a tharla an raic cheannann chéanna den dara huair? Freagra na ceiste sin a bhí á lorg ag JN nuair a thuirling sé ar Oileán Orkney.

Ar fhéachaint siar dó anois, ba é sin an botún ba mhó a dhein sé. Bhí sé de mhí-ádh air gur aithin iriseoir áirithe a bhí ar an láthair é, agus tógadh a phictiúr agus foilsíodh sna nuachtáin é. Ba í an cheist a ardaíodh ansin ná cad a bhí ar siúl ag Joe Comyn in Oileán Orkney. Bhí micreafóin agus ceamaraí roimhe ó mhaidin go hoíche agus tuairisceoirí ag liúireach air. Nach raibh seisean sáite sa trioblóid leis an tSeirbhís Shóisialta in Rochdale cheana féin? Cad a thug go hOrkney é? An raibh comhcheilg idir na Seirbhísí, in Rochdale agus in Orkney? Bhí mar thoradh air go raibh JN i dtrioblóid lena fhostóir agus leis an bpobal in éineacht.

Níorbh fhada ina dhiaidh sin gur thosaigh na glaonna fóin ar an mbaile déanach san oíche, ó thuismitheoirí na leanaí a bhí tógtha ag na húdaráis. Nuair a bhagair athair amháin go sáfadh sé scian go feirc sa droim ann, bheartaigh JN gurbh fhearr dó na cosa a thabhairt leis as an gceantar ar feadh tréimhse. B'fhearr rith maith ná drochsheasamh. B'in a chomhairle dó féin i gcónaí, agus féach nár mhaith an mhaise dó a chomhairle féin a ghlacadh? Féach go raibh sé beo fós, gan aon scian a bheith sáite ina dhroim. Féach go raibh airgead maith á thuilleamh aige, agus féach go raibh turas deas amach chun na Fraince roimhe anois, agus na costais go léir íoctha. Cén chúis ghearáin a bhí aige anois? Níor chreid sé féin beag ná mór gur gaoth agus toit ab ea an saol.

Bhainfeadh sé tairbhe as an saoire ghearr sa Fhrainc. Dá ndéanfadh sé a chuid oibre go tapa d'fhéadfadh sé an lá a thabhairt faoin tor. Thaitin fíon dearg na Fraince go mór leis. Dá mbeadh a chuid oibre déanta aige cén dochar dó cúpla gloine fíona?

Bhí spéis aige i Náisiún na mBascach agus bhí a fhios aige go raibh Biarritz lonnaithe i gceartlár thír na mBascach. B'fhéidir go mbeadh deis aige aithne níos fearr a chur ar na Bascaigh. Níor Fhrancaigh iad in aon chor. Ní bheadh aon naimhdeas idir Bascaigh agus eisean mar Shasanach, faoi mar a bhíonn de shíor idir Francaigh agus Sasanaigh. Dáiríre ba chóir go mbainfeadh sé taitneamh as an turas go Biarritz. *Joe* a déarfadh sé le muintir

Biarritz ab ainm dó. *Joe* as Canterbury, an áit a
raibh an Ard-Eaglais chlúiteach. D'fhágfadh sé JN
ina dhiaidh i Manchain.

I gcomparáid le haerfort Mhanchain ní raibh in
aerfort Biarritz ach mar a bheadh sráidbhaile
beag. Ach bhí an teas le brath ar an aer. Ba dheas
le JN dá mbeadh buanchónaí air i mBiarritz. Bhí
scuaine bheag daoine roimhe ag fanacht le tacsaí.
Ní raibh leigheas air. Bhí sé chomh maith aige a
bheith foighneach. Deich nóiméad níos déanaí
tháinig an ceathrú tacsaí. B'in an ceann dó siúd.

'*L'Église Ste-Eugénie, s'il vous plait,*' a d'ordaigh sé.

'*Oui, Monsieur,*' a fuair sé mar fhreagra.

Bhí sé beartaithe ag JN, nó Joe as Canterbury mar
a bhí air anois, go n-aimseodh sé an bhialann
chomh luath is a d'fhéadfadh sé. Ghlacfadh sé
roinnt pictiúr ón taobh amuigh, agus ansin
rachadh sé ar thóir óstáin agus ghlacfadh sé sos
beag ar a leaba. Nuair a d'éireodh sé bheadh lón

breá luath aige sa bhialann Iodálach. Nach mar sin a ordaíodh dó?

D'fhan an tiománaí ina thost ar feadh an aistir. Chuimhnigh JN gur mhór an trua é nach gcoiméadfadh tiománaithe tacsaithe Mhanchain a gclabanna dúnta ó thráth go chéile, seachas an blab blab blab a bhíodh uathu de shíor. Thug sé sracfhéachaint ar na bileoga eolais a bhí tugtha leis aige ón aerfort. Thug ceann acu mioneolas ar Bhascaigh. Ba léir mórtas cine láidir a bheith ag baint leo.

Chuir an teas sa charr míogarnach ar JN. Dúisíodh é nuair a chuala sé an tiománaí ag fógairt *'Douze euro cinquante, s'il vous plait.'*

'L'Église Ste-Eugénie?' a d'fhiafraigh sé den tiománaí.

'Oui, Monsieur. C'est L'Église Ste-Eugenie.'

Thug JN cúig euro déag dó. Bheadh sé flaithiúil. Bhí na costais íoctha dó.

14

Nuair a mhol Cigire na bpóilíní ag an gcruinniú go n-osclófaí na litreacha ón mbean i mBiarritz ní mó ná sásta a bhí an t-iarbhleachtaire Malcolm Fossett. Ach ar a bhealach abhaile tháinig malairt aigne air. Ba choirpeach é Nathy Havers. Dá bharr sin bhí dualgas ar phóilíní pé fianaise a bhí ar fáil a bhailiú, pé bealach dleathach a d'fhéadfaidís. Bhí dualgas orthu a chinntiú go dtabharfaí Havers os comhair cúirte.

Shocraigh sé ar mhodh oibre. Dá gcinnteodh sé go dtiocfadh gach litir faoina bhráid féin, d'fhéadfadh sé iad a thabhairt leis go dtí stáisiún na bpóilíní áit a n-osclófaí iad gan aon dochar a dhéanamh dóibh. Dhéanfaí fótachóipeanna ar an láthair agus dhúnfaí na clúdaigh go cúramach arís. Níor ghá go mbeadh eolas ag an gCaptaen ná ag duine ar bith eile ina thaobh.

Bhí Malcolm i láthair ag an gcéad chruinniú áitiúil eile den *Salvation Army*. D'fhógair sé gur chreid sé go raibh an fear a bhí á lorg ag an mbean i mBiarritz aimsithe aige. Dúirt sé go raibh sé mar cheart ag na páirtithe go mbeadh rudaí faoi rún eatarthu, agus gur mhaith leis gur aige féin a bheadh údarás iomlán sa ghnó seo. Dúirt sé nach mbeadh sé ceart ná cóir dá mbeadh ainm an fhir áirithe seo luaite os comhair an tsaoil. Níor mhaith leis go gceapfadh aon duine a bhí i láthair go mbeifí sásta a ainm a sceitheadh.

D'oir an scaothaireacht dá raibh i láthair agus ghlac siad go léir lena mholadh. Ghabh siad buíochas leis as ucht a chuid oibre. Is ar an mbonn sin a scríobh Malcolm litir go dtí oifig *L'Armée du Salut en France* in Tonniens na Fraince.

Ansin, bhí roinnt oibre eile le déanamh aige. Le tamall bhí sé ag faire amach do phost a d'oirfeadh dó. Bhí aithne aige ar iarphóilíní a bhí i bhfad níos sine ná é féin, a raibh poist mhaithe faighte acu mar bhainisteoirí slándála. Bhí seisean cáilithe dá leithéid, agus bhí post fógraithe i nuachtán an lae sin a d'oirfeadh go breá dó. An t-aon locht a bhí air ná gur in Sheffield a bhí sé, beagnach caoga míle slí óna áit chónaithe. Ach ba chuma sin. Dá mba rud é gur post buan a bhí ann agus go raibh tuarastal maith ag dul leis, d'aistreodh sé go Sheffield chun cónaithe. Scríobh sé amach a iarratas agus chuir sé sa phost é.

Nuair a bhí an cúram sin curtha de aige shocraigh sé ina aigne go dtabharfadh sé turas ar an *casino*. Bhuel, nach raibh sé de cheart aige a rá go raibh cead faighte aige ón gCigire rud ar bith ba mhaith leis a dhéanamh sa chás, fad is nach mbeadh aon dlí á bhriseadh aige? Bhí am aige díriú ar chleachtais oibre Nathy Havers agus dúil aige ann.

Le fírinne, ní raibh aon tsúil aige eolas ar bith a fháil as na litreacha. Ní dócha go dtabharfadh Nathy Havers aird ar bith ar aon litir a thiocfadh ón mbean i mBiarritz. Chaithfí tabhairt faoi mhodh oibre eile ar fad chun breith ar Nathy Havers. Ní raibh an bhean i mBiarritz mar chúram ar Malcolm in aon chor anois. Nach raibh a hathair aimsithe aige di? Mura gcuirfeadh seisean aon spéis sa scéal cén réiteach a bhí aige féin air?

An oíche dar gcionn, timpeall ar leathuair tar éis a deich, thug Malcolm aghaidh amach ar an tsráid. Thabharfadh bus é i dtreo an *casino*. D'fhanfadh sé tamall ar an gcosán ar an taobh eile den tsráid, sa tslí is go mbeadh deis aige súil ghéar a choimeád ar dhaoine ag teacht agus ag imeacht as an *casino*.

Bhí £100 ina phóca aige, ach ní raibh sé ar intinn aige £100 a chailliúint sa *casino*, ná a leath, ná an ceathrú cuid féin ach an oiread. Theastaigh uaidh radharc a fháil ar Nathy Havers féachaint cén cineál duine é. Ansin bheadh gá aige le i bhfad níos mó eolais faoin bhfear. Ba é an bunphrionsabal oibre ag gach aon bhleachtaire eolas a fháil, mar a deiridís - ar ghnásanna, ar ghnáthóga, agus ar ghearrchaillí na gcoirpeach. Chuirfeadh Malcolm eolas ar ghnásanna, ar ghnáthóga, agus ar ghearrchaillí Nathy Havers chomh luath is a d'fhéadfadh sé.

Oíche Dé hAoine a bhí ann. Bheadh slua maith mór i láthair. Ní thabharfaí aird rómhór ar Malcolm. Ní aithneofaí é mar phóilín ná mar iarphóilín. Bheadh roinnt mhaith i láthair a bheadh tagtha ón tábhairne. Más ea bhí buidéilín beag ag Malcolm ina phóca ina raibh cúpla spúnóg uisce beatha. Ní raibh sé ar intinn aige aon bhraon a bhlaiseadh, ach nuair a bheadh sé ullamh le dul isteach sa *casino* chuimleodh sé an t-uisce beatha dá smig agus timpeall ar a bhéal. Déarfadh duine ar bith go raibh seisean tagtha ón tigh tábhairne chomh maith le cách.

Ní raibh coinne ag Malcolm leis an méid a bhí le feiceáil ar an taobh istigh. B'áit galánta amach is amach é an *casino*. Na fearais go léir ar dhath an óir. Soilse geala i ngach áit, cinn speisialta crochta os cionn gach bord imeartha. Gach uile shuíochán déanta as fíorleathar. Agus mná áille ag déanamh na gcártaí ag na boird. Thuig Malcolm conas mar a thaitneodh an áit le hamadáin, agus le hóinseacha gligíneacha freisin ar ndóigh, a mbeadh níos mó airgid ná ciall acu. *The Havers Casino* scríofa i ngach uile áit dá bhféadfaí. B'in gan amhras ar eagla go gceapadh daoine go raibh siad ar neamh cheana féin.

Tar éis dó cnaipí imeartha a cheannach ar £50 shiúil sé timpeall an tseomra féachaint an bhfeicfeadh sé rud ar bith as alt in aon bhall. Gnátheachtraí *casino* a bhí ar siúl. Ní fhaca sé rud ar bith as alt. Pé cleasaíocht a bhí ar siúl ag Nathy Havers ní raibh sé le feiceáil ag an iarbhleachtaire Malcolm Fossett. Ach cá raibh an fear féin? Ní fhaca sé duine ar bith a d'aithneodh sé mar bhainisteoir.

Níor theastaigh uaidh aon chomhrá a bheith aige le haon duine de na custaiméirí. Dá gcuirfeadh sé ceist ar bith ar dhuine acu chaithfeadh sé féin pé ceist a chuirfí air féin a fhreagairt go fírinneach nó go bréagach. B'fhusa blúirí eolais a fháil ar bhealach eile.

Bhuail sé bleid ar an ngiolla dorais.

'Conas atá agat?' ar sé leis. 'Tá pian i mo bholg agam ar chúis éigin. Rud éigin a d'ith mé, is dócha. Nó a d'ól mé, b'fhéidir. Is é rud ab fhearr a dhéanfainn ná bogadh liom abhaile, agus teacht isteach oíche éigin eile. Seo é an chéad uair agam anseo. Cad as ar tháinig ainm an *casino*, ach go háirithe?'

'Fear arb ainm dó Nathy Havers. Is leis siúd an *casino*. De ghnáth bíonn sé ar an urlár ag gabháil timpeall ach ní fheicim anois díreach é. Coimeádann sé súil ghéar ar chúrsaí. D'aithneofá láithreach bonn é. Fear mór ard. Culaith dhubh air agus carabhat cuachóige. Má fheiceann tú bean óg agus gruaig fhionn uirthi, agus *MADE IN ENGLAND* mar thatú ar a gualainn, sin í a iníon.'

'Ó, tá athair agus iníon sa ghnó más ea? Cén fáth ar chuir sí *MADE IN ENGLAND* ar a gualainn? Nach *Made In England* atáimid go léir - is dócha? Mise ach go háirithe. Tusa leis, a déarfainn, le féachaint ort.'

'Bhí a cúis féin ag Bianca, gan dabht.'

'Mar sin é? B'fhearr domsa aghaidh a thabhairt ar an leithreas ar eagla na heagla.'

'Mo chomhairle dhuit, a dhuine uasail, ná dul go dtí an beár. Iarr *Rennies* orthu. Glac cúpla ceann acu sin. Cabhróidh siad leat.'

Bhí fear meánaosta ag tabhairt faoin doras amach ar a aistear abhaile.

'Ní raibh an t-ádh liom anocht, Dessie,' a d'fhógair sé.

'Ní bheannaíonn an t-ádh duit gach oíche, a dhuine uasail. Oíche mhaith, a dhuine uasail, agus slán abhaile.'

Chas Dessie chuig Malcolm.

'Is fearr liomsa é nuair a bhíonn roinnt airgid buaite acu, mar faighimse síneadh láimhe uathu ar a mbealach amach ansin. Faigh na *Rennies* anois, a dhuine uasail, agus buaigh duais mhór duit féin chun go mbeidh síneadh láimhe agatsa dom nuair a bheidh tú ag fágáil!'

Bhí straois ar a bhéal.

'B'fhéidir go mbeidh an t-ádh liom an chéad oíche eile a thiocfaidh mé isteach nuair a bheidh mé ar fónamh. Bainfidh mé triail as na *Rennies* faoi mar a mhol tú dom. Go raibh maith agat.'

'Go n-éirí an t-ádh leat, a dhuine uasail.'

Bhí cúpla céim tógtha ag Malcolm nuair a chuala sé guth an ghiolla dorais.

'A dhuine uasail.'

Chas Malcolm ina threo.

'An bhfeiceann tú an fear mór thall in aice leis an mbord a bhfuil *poker* á imirt air? Sin é Nathy Havers, bainisteoir an *casino*.'

Thug Malcolm nod beag dá chloigeann chun go dtuigfeadh an giolla dorais nach raibh puinn suime aige sa scéal dáiríre.

Cheannaigh sé na *Rennies* sa bheár ach níor chuir sé aon cheann ina bhéal. I gceann tamaillín dhein sé a bhealach i dtreo Nathy Havers chun radharc níos fearr a fháil air. Dá bhfeicfeadh sé Havers áit ar bith arís, d'aithneodh sé láithreach é. Faoi mar a dúirt giolla an dorais, fear mór ard toirtiúil ab ea

Havers. Ach mheabhraigh Malcolm dó féin go dtugtar fir arda a mbíonn toirt mhór iontu chun talún freisin.

Bheartaigh Malcolm a aghaidh a thabhairt ar an mbaile. Ach sula n-imeodh sé chaithfeadh sé airgead a fháil ar na cnaipí gan mhaith a bhí fós aige.

Ar a bhealach amach dó sháigh sé nóta £5 i lámh Dessie. B'in a chostas don oíche, seachas an punt caoga ar na *Rennies*. Bheadh a thuilleadh machnaimh le déanamh aige ar Nathy Havers nuair a shroichfeadh sé an baile. Cá raibh na gnáthóga aige? Agus na gearrchaillí? Chaith sé go raibh dúil sna mná ag Nathy Havers faoi mar a bhí ag gach coirpeach.

15

Ar a cúig a chlog san iarnóin a d'osclaítí doras an *casino*. Uaidh sin ar aghaidh thagadh corrdhuine isteach ach is timpeall ar a deich a chlog nó níos déanaí a thagadh formhór na ndaoine. Bheadh cuid acu ann go dtí a ceathair a chlog ar maidin. Bhí caifé agus ceapairí ar fáil saor in aisce chun a chinntiú nach mbeadh ocras ar dhaoine agus fonn orthu éalú abhaile.

Go luath tar éis am oscailte shroich Nathy an *casino*. Mheas sé go mbeadh a chuid oibre déanta ag JN i mBiarritz faoin am seo. Ní fheadair sé cén scéal a bheadh aige ar theacht abhaile dó. Dáiríre, cúis gháire a bhí ann go mbeadh aon bhean ar thóir a hathar tar éis tríocha bliain. Ba chóir di ciall a bheith aici.

Chuaigh sé suas staighre go dtína oifig phríobháideach. Bhíodh doras na hoifige faoi ghlas i gcónaí. Is ag Bianca agus aige féin amháin a bhí eochair an dorais. Bhí naoi scáileán teilifíse istigh. Radharc orthu ar a raibh ar siúl thíos staighre. Bhí ceamara amháin os cionn doras tosaigh an fhoirgnimh, agus súil á coimeád aige sin ar gach duine a tháinig thar táirseach. Bhí ceamara amháin sa bheár agus bhí na cinn eile scaipthe ar fud seomra na gcluichí, radharc acu ar gach bord imeartha. Dá mbeadh duine ar bith ag buachan an iomad bheadh Nathy nó Bianca ag faire go géar air ar an scáileán cuí thuas staighre. Dá bhfeicfí aon chleasaíocht ar siúl aige - nó aici, mar ba mhinic a bhíodh na mná chun tosaigh sa chleasaíocht freisin - rachfaí chuige nó chuici agus thaispeánfaí an doras amach dó. Déarfaí leis nó léi gan filleadh ar an *casino* go deo arís, ar mhaithe leo féin ar ndóigh!

Shuigh Nathy ag a dheasc. Bhí cuntais na hoíche aréir le líonadh isteach aige. Ba mhinic a chuimhnigh sé gurbh fhiú go maith an tréimhse a chaith sé ina fhear óg mar chléireach bainc. Sa phost sin a d'fhoghlaim sé an tábhacht a bhaineann le cruinneas i gcúrsaí cuntasaíochta.

Níorbh fhada a bhí sé i mbun oibre nuair a chuala sé coiscéim lasmuigh. Buaileadh cnag bog ar an doras. Chuaigh sé sall agus chuir sé leathshúil leis an bpoll spiaireachta. Duine de na fir faire a bhí ann. D'oscail sé an doras.

'Mo leithscéal a bheith ag cur isteach ort, a Uasail Havers, ach tá fear tagtha isteach thíos staighre a deir gur mhaith leis labhairt leat.'

'Ceart go leor. Rachaidh mé síos i gceann tamaillín. Cá bhfuil sé faoi láthair?'

'Dúirt mé leis suí isteach sa bheár.'

'Go maith. Beidh mé thíos láithreach bonn.'

D'imigh an fear faire leis agus chuaigh Nathy ar

ais isteach ina oifig. D'fhéach sé ar scáileán an bheáir. Is ea go díreach, bhí fear óg a raibh cuma sách neirbhíseach air ina shuí istigh sa bheár. Ní raibh aon aithne ag Nathy air. Labhair sé isteach sa mhicreafón ar an deasc. Chuala an fear faire guth an Uasail Havers ina ghléas cluaise.

'Táimse ar mo bhealach síos. Beidh mé ag dul chun cainte leis an bhfear óg sa bheár. Coinnigh súil orm.'

Bhí culaith dhúghorm agus léine gheal bhán ar an bhfear óg sa bheár. Bhí carbhat ildaite air. B'in faisean an lae ag lucht oifige. Nó lucht dlí, ba dheacair a rá.

Nuair a tháinig Nathy i láthair shín an fear cárta beag bán chuige. Chonaic Nathy go raibh ainm dlíodóra ar an gcárta, agus go raibh seoladh oifige i Learpholl luaite. Dúirt sé le Nathy gur mhian leis comhrá príobháideach a dhéanamh leis.

Níor shín Nathy lámh i dtreo an chuairteora.

D'fhan sé ina sheasamh agus ina thost. Bhí cuma na toirtéise ar an bhfear os a chomhair amach.

'Is mian liom a chur in iúl duit, a dhuine uasail,' arsa an cuairteoir, 'go bhfuil daoine áirithe i Learpholl ar mhaith leo do *casino* anseo i Manchain a cheannach uait. Táthar toilteanach a luach a íoc leat. Tá a n-aigne socraithe acu an *casino* a cheannach uait, a dhuine uasail.'

Is mallaithe do thoisc chugam, a dúirt Nathy faoina anáil.

'Ar mhiste leat a rá liom cé hiad na daoine seo i Learpholl a bhfuil tú ag tagairt dóibh?' arsa Nathy.

'Is baolach, a dhuine uasail, nach bhfuil sé ceadaithe dom a n-ainmneacha a lua leat.'

'An bhfuil eolas ar bith agat dom ina dtaobh?'

'Is lucht gnó iad, a dhuine uasail.'

'Lucht gnó, a deir tú? Bhí gnó agam féin i Learpholl, tráth den saol. B'fhéidir go bhfuil aithne agam orthu.'

'Seans go bhfuil, a dhuine uasail.'

'Níl tú toilteanach a insint dom cé hiad? An ndéarfaidh tú liom cén cineál gnó atá ar siúl acu i Learpholl?'

'D'fhéadfaí a rá, a dhuine uasail, gur gnó é atá cosúil leis an ngnó atá ar siúl agat féin anseo i Manchain.'

Thuig Nathy ó thosach cé a bhí aige. Níor ghá dó aon cheist a chur dáiríre. Ba iad a shean-naimhde i Learpholl a bhí i dteagmháil leis.

'Is fear óg tú féin. An fada atá tú i do dhlíodóir?'

'Tréimhse fhíorghearr, a dhuine uasail.'

'Ach an mbeadh d'ainm ar rolla na ndlíodóirí faoin am seo, an ndéarfá?'

Ní bhfuair Nathy aon fhreagra ar an gceist sin. Bhí strabhas le feiceáil ar bhéal an chuairteora.

'An t-aon chúram atá ormsa tráthnóna, a dhuine uasail, ná go dtuigfeá gur mian le daoine áirithe i Learpholl do *casino* a cheannach uait, agus go bhfuil a n-intinn déanta suas acu é sin a dhéanamh.'

D'fhéach Nathy i dtreo an ghiolla dorais.

'Is féidir an fear seo a threorú amach,' a dúirt sé leis.

'Beidh mé i dteagmháil leat arís i gceann seachtaine, a dhuine uasail. Níor mhaith leis an dream i Learpholl a bheith rófhada gan freagra.'

Fágadh an focal scoir ag an gcuairteoir.

D'fhill Nathy ar a oifig. Shuigh sé sa chathaoir taobh thiar den deasc. Lig sé osna throm. Bhí trioblóid ar an mbealach. Ní raibh coinne aige lena leithéid seo. Níor cheap sé go dtiocfadh a shean-naimhde ar a thóir go ceann tamaill eile, dá dtiocfaidís in aon chor. Níor chreid sé go raibh siad sách láidir tabhairt faoi ghnó a dhéanamh chomh fada seo ó bhaile. Níor theastaigh uaidh go mbeadh aon trioblóid aige i Manchain. Bhí ag éirí go breá leis faoi mar a bhí cúrsaí, agus ní raibh deacrachtaí ar bith aige leis na póilíní áitiúla.

Ach anois, bhí athrú gan choinne tagtha ar an scéal. Ba mhaith leo an *casino* a cheannach, mura miste leat, agus a luach a íoc leis. Sea mhuise. Luach an mhargaidh? Ar éigean é, ná a leath, ná a cheathrú féin ach oiread. B'fhéidir gur theastaigh uathu eagla a chur air, gurbh in uile, agus nach raibh sé ar intinn acu an lámh láidir a úsáid in aon chor - go ceann tamaill eile ar aon nós. Chomh fada is ab eol do Nathy ní raibh muintir Learphoill sách láidir ionsaí a dhéanamh mar a sheas cúrsaí faoi láthair. Bheadh coinne aige le trioblóid i gceann leathbhliana b'fhéidir, nó níos déanaí ná sin fiú. Ní chuirfeadh sin ionadh air. Sin ráite, b'fhéidir go mbeadh sé ina chogadh dearg eatarthu taobh istigh de mhí. Ní raibh a fhios aige.

Ní fhéadfadh sé an fód a sheasamh i gcoinne mhuintir Learphoill dá dtiocfadh buíon mhór acu. Ach, mheabhraigh sé dá mbeadh scata mór acu tagtha go Manchain chun ionsaí a dhéanamh air féin, go bhfágfadh sin nach mbeadh ach dream beag fágtha ag baile chun a ngnó féin a chosaint, agus bhí daoine ar fáil dó féin i Learpholl dá mbeadh gá leo.

B'fhearr leis go bhfanfadh muintir Learphoill i Learpholl, agus go bhfágfaidís Manchain faoi féin. Bheadh ciall leis sin. Cosnaíonn gach aon chogadh carn airgid. Bheadh caillteanas ar an dá thaobh. Bhí sin cinnte. Agus dá rachadh cúrsaí thar fóir ghortófaí baill foirne ar an dá thaobh. Níor theastaigh sin ó Nathy. Mharófaí daoine dá rachadh cúrsaí ó smacht. Bheadh an phraiseach ar fud na mias ansin. B'fhearr margadh a dhéanamh leo dá mb'fhéidir é. Dream teasaí gan puinn tuisceana ab ea muintir Learphoill. Róshantach a bhí siad. B'in locht mór ar dhuine nó ar eagras ar bith. Níor mhaith le Nathy go gcuirfí brú air bogadh leis arís go cathair éigin eile.

De réir an fhir óig bhí seachtain aige le bheith ag machnamh ar an bhfadhb. Nuair a d'fhillfeadh an buinneachán dlíodóra, má ba dhlíodóir in aon chor é, bheadh cúpla rud le rá aige leis. Idir an dá linn níor mhór beirt ghiolla dorais sa bhreis a fhostú gan mhoill.

Tháinig Bianca isteach chun oibre timpeall ar a seacht a chlog agus d'inis Nathy di faoi méid a tharla. D'aontaigh sí leis go gcaithfidís go léir a bheith an-aireach as seo amach, agus go gcaithfí breis foirne a fhostú.

Chaithfeadh Nathy féin roinnt machnaimh a dhéanamh ar an gcasadh seo sa scéal, agus is sa bhaile ab fhearr a dhéanfadh sé sin. D'fhág sé cúram an *casino* faoi Bianca don oíche agus bhailigh sé leis.

Ar shroichint an bhaile dó léigh Nathy an litir ón mbean i mBiarritz arís, agus ansin chuir sé ar leataobh í. Bhí cúram anocht air seachas curam mná i mBiarritz.

Níorbh fhada gur chuir torann an fhóin ag bualadh isteach ar a chuid smaointe. Bianca a bhí ann.

'Nathy, bhí trioblóid ag an doras is baolach. Sáthadh Dessie sa mhuineál. Ghlaos ar otharcharr, agus tugadh Dessie go dtí an *Royal* anois díreach. Deacair a rá conas atá aige. Chaill sé roinnt mhaith fola. B'fhearr duit teacht isteach.'

'Cathain a tharla sé seo?'

'Anois díreach, fiche nóiméad ó shin.'

'Ar bhain tú amach an taifeadadh?'

'Bhain. Tá sé i bhfolach agam.'

'Coinnigh chugat féin é. Agus chuir tú téip nua isteach?'

'Chuir. Cinnte. Tá sin déanta.'

'Ar tháinig an fear seo ina aonar, nó an raibh níos mó ná duine amháin i gceist?'

'Níl ach fear amháin le feiceáil ar an taifeadadh. Fear cuibheasach óg, gan é a bheith róthéagartha. Chífidh tú féin é nuair a thiocfaidh tú isteach.'

'Agus níor éirigh le Dessie ná le Harry buille ar bith a bhualadh ar an bpleidhce seo?'

'Bhí Dessie ina aonar ag an doras ag an am. Bhí Harry imithe go dtí an leithreas. Déarfainn nach raibh coinne dá laghad ag Dessie leis an ionsaí. Bhí an chuma air go raibh sé ar a shuaimhneas. Seans go raibh aithne aige ar an bhfear seo cheana féin. Sáthadh sa scornach é. Déarfainn gur thuig an té a dhein an beart go raibh veist chosanta á chaitheamh ag Dessie faoina chasóg. Sin é an fáth gur roghnaigh sé an scornach. Iarracht ab ea é ar Dessie a mharú. Theith an fear láithreach bonn. B'fhéidir gur argóint phearsanta de chineál éigin a bhí ann idir Dessie agus é féin. B'fhéidir nach raibh baint ar bith ag an eachtra leis an *casino*. Ní fhaca aon duine de mhuintir an tí an rud a tharla. Duine a bhí ag gabháil thart ag an am an t-aon fhinné atá againn.'

'An bhfuairis a ainm?'

'Fuair. Bean atá i gceist.'

'Bean? Cén aois atá aici?'

'Gar don dá scór a déarfainn. Thugas cuireadh isteach di. Tá sí anseo faoi láthair. Chuireas braon branda ina glaic. Tá a hainm agus a seoladh baile agam. Níor chuireas aon ghlao ar na póilíní fós. Caithfear glao a chur orthu. B'fhearr dá labhrófása leo.'

'Ceart go leor. Tiocfaidh mé isteach láithreach. Cuirse féin do veist chosanta ort, ar eagla go bhfillfeadh an fear sin nó cuid dá chairde.'

'Tá sé orm. Cad faoin *casino* a choiméad ar oscailt? Ar chóir dúinn é a dhúnadh don oíche?'

'Coinnigh ar oscailt é. Abair le Harry scuab agus uisce a fháil agus a chinntiú nach bhfágfar aon rian fola ar an mbealach isteach. Beidh mé féin leat taobh istigh de leathuair an chloig. Ní déarfainn go bhfuil aon bhaol go bhfillfidh an fear sin anocht. Bheadh súil aige le póilíní a bheith go tiubh ar an bhfód. Is é a déarfainn féin ná go raibh seisean ag oibriú ina aonar, pé cúis a bhí leis an ionsaí. Dá mbeadh buíon fear i gceist, is isteach i lár an urláir a bheidís tagtha. Cuireann sé ionadh orm nár thuig an fear sin go mbeadh gach rud ar taifeadadh. Ní thuigim é sin ar chor ar bith.'

'Deacair é a thuiscint, ceart go leor. Leathuair an chloig nó mar sin, a deir tú?'

'Caithfidh mé beatha a chur amach do na madraí, ach beidh mé ar mo bhealach isteach chugat go pras ansin. Slán.'

Níor theastaigh ó Nathy go mbeadh trioblóid ar bith aige sa *casino*. Ní chuirfeadh sé aon ghlao ar na póilíní, go fóill ar aon nós. Nuair a bheadh an scéal aige ina iomláine réiteofaí an fhadhb, pé fadhb í, i measc na bpáirtithe. Dá rachadh sé go dtí na póilíní bheadh an scéal sna páipéir gan aon rómhoill. Sintiús láimhe i gcónaí gan amhras ag na nuachtáin don phóilín a mbeadh blúire blasta nuachta aige d'iriseoir. Ní oirfeadh poiblíocht dá leithéid sin do Nathy maith ná olc.

16

Nuair a thiomáin Nathy a charr síos as an mionbhóthar ar a raibh a theach cónaithe lonnaithe agus amach ar an mbóthar mór, ba ar dheis a chas sé, in ionad ar chlé mar ba chóir chun dul i dtreo an *casino*. Bóthar ospidéal an *Royal Infirmary* a roghnaigh sé. Is go dtí an t-ospidéal a rachadh sé ar dtús féachaint conas a bhí ag Dessie. Ansin dhéanfadh sé an cinneadh cuí. Bhí cónaí ar theaghlach Dessie i gceantar Moston. Ceantar garbh sa chathair a bhí ann. Ní raibh seoladh baile Dessie go beacht ina chloigeann ag Nathy. Rachadh sé féin ann níos déanaí chun mám airgid a thabhairt do bhean Dessie, agus bheadh a thuilleadh aige ina dhiaidh sin di dá mbeadh gá leis. Bhí beartán beag ceangailte faoi bhun an tsuíocháin faoina thóin sa charr. Istigh sa bheartán bhí dhá mhíle punt do chruachás dá leithéid seo.

Bhí Nathy sásta ina aigne gur argóint phearsanta de shaghas éigin a bhí idir Dessie agus an pleidhce a sháigh sa scornach é. Ba thrua nár ionsaigh sé Dessie i bhfad ó dhoras an *casino*. Bheadh Nathy ag faire amach dó siúd, pé ar domhan é.

Ansin rith sé leis nár chuimhnigh sé fiafraí de Bianca ar scian a úsáideadh nó buidéal briste chun Dessie a shá. Dá mba scian é cá raibh an scian anois? Chaithfí an scian a fháil agus í a chaitheamh san abhainn. Mura mbeadh fianaise ar fáil do na póilíní ní bheidís in ann puinn a chruthú. B'fhearr nach mbeadh na póilíní páirteach sa ghnó seo in aon chor.

Drochscéal a bhí ann do Nathy ag an ospidéal. Bhí Dessie gan aithne gan urlabhra. Bhí an-chuid fola caillte aige agus bhí fuil á tabhairt dó.

B'fhéidir go n-éireodh leo é a shábháil. Ní raibh a fhios acu. Ní fhéadfaí a rá faoi láthair. Thug Nathy aghaidh ar an *casino*.

Bhí Bianca ag fanacht leis. Bhí a casóigín báistí uirthi, chun nach bhfeicfí an veist chosanta istigh faoi. D'oir gorm na casóige go maith do litreacha órga *The Havers Casino* ar an mbrollach agus ar chúl. Bhí an glantachán ar na céimeanna ag an doras déanta ag Harry. Ní raibh aon rian fola os comhair an dorais.

'Tá an finné imithe abhaile, Nathy. Ní fhéadfainn í a choinneáil níos faide.'

'Ceart go leor. Chuas go dtí an *Royal* ar mo bhealach isteach. Níl cuma rómhaith ar Dessie. Ní déarfaidís liom an dtiocfaidh sé slán nó nach dtiocfaidh.'

'Táimid i dtrioblóid má fhaigheann sé bás.'

'Níl sé marbh fós. Bímis dóchasach. Cogar. An scian a úsáideadh nó gloine bhriste?'

'Scian. Gan amhras.'

'Ar aimsigh sibh í?'

'Níor aimsigh. Thug an t-ionsaitheoir leis í.'

'An bhfuil tú lánchinnte?'

'Bhuel, ní raibh sí ar an talamh.'

'Ní leor sin. Féachaimis ar an taifeadadh. Téanam ort in airde staighre.'

D'fhéach siad beirt ar an taifeadadh. Ansin d'fhéach air arís, ar eagla go raibh rud ar bith nach bhfaca siad ar an gcéad fhéachaint.

D'aithin Nathy an fear a sháigh Dessie láithreach bonn. Ba é an fear óg é a tháinig isteach chuige féin níos luaithe sa lá. An fear a dúirt go raibh sé ag feidhmiú ar son muintir Learphoill.

'An bhfaca tú an fear sin riamh cheana i do shaol, Nathy? An bhfuil aon aithne agat air,' a d'fhiafraigh Bianca.

'Ní fhaca, Bianca, ní fhaca mé riamh cheana i mo shaol é. Níl a fhios agam cé hé féin.'

Mhúch Nathy an gléas agus bhain sé amach an téip.

'Coimeádfaidh mé féin an taifeadadh. Má chuirtear aon cheist, níor cuireadh téip sa mheaisín anocht go dtí tar éis an ionsaithe. Ní dúirt tú dada faoin taifeadadh leis an mbean sin, ná le duine ar bith?'

'Bí lánchinnte nach ndúirt.'

'Ní bheidh a thuilleadh trioblóide againn anocht. Táim cinnte de sin. Bhí seisean ag gníomhú ina aonar.'

'D'fhéadfainn an veist chosanta a bhaint díom, más ea?'

'Ná dein go fóillín. Cogar, Bianca, teastaíonn uaim go ndéanfá gar dom. Faigh seoladh baile

Dessie agus téigh amach go dtí an áit sin. Tá cónaí air i gceantar Moston. Cuir casóg eile ort nach mbeidh ainm an *casino* air, ach fág do veist chosanta ort. Abair lena bhean gur tharla tionóisc do Dessie, agus go bhfuil sé sa *Royal* ach go ndeir na dochtúirí nach baol dó. Tóg mo charrsa seachas do cheann féin. Ní thabharfar aon aird ar *Rover* a bhfuil dath dubh air. Faoi shuíochán an tiománaí mar is eol duit tá beartán beag ina bhfuil dhá mhíle punt. Tabhair a leath de sin do bhean Dessie, agus abair léi go mbeidh a thuilleadh ann di i gceann seachtaine. Ná fan rófhada sa cheantar sin.'

Nuair a d'imigh Bianca amach as an oifig tharraing Nathy chuige an fón póca. Bhuail sé amach roinnt uimhreacha.

'An mbeidh tú sa bhaile,' a d'fhiafraigh sé.

'Beidh,' a fuair sé mar fhreagra.

Chuir Nathy a chasóg mhór air agus thug aghaidh

amach ar an tsráid. Bhí caipín ina phóca aige. Tar éis dó an coirnéal ag bun na sráide a chur de, chuir sé air a chaipín. Shiúil sé leathmhíle slí, agus ansin ghlaoigh sé ar thacsaí.

Nuair a bhrúigh sé cnaipe cloigín an dorais bhuí ag bun Bhóthar Macclesfield tugadh cuireadh isteach láithreach dó. Nuair a bhuail boladh na dtoitíní a shrón rith sé leis go raibh dearmad glan déanta aige ar an ngnáthfhéirín a thugadh sé leis. Bhí an pacáiste gorm ina raibh dhá chéad toitín *Gauloises* fágtha ina oifig aige. Cén dochar? Nach raibh sé de shíor á rá aige le Monica gur chóir di éirí as na toitíní, go ndéanfaidís dochar dá sláinte? Ba é a freagra i gcónaí ná go raibh sí á gcaitheamh ó bhí sí ina déagóir cúig bliana fichead roimhe sin, agus go raibh sí beo fós.

'Conas atá an saol agat, Nathy?

'Go maith. Go maith. Ní gearánta dom.'

Shín sé carn airgid chuici.

'Tá tú fial liom i gcónaí, Nathy.'

'Caithfear fear a fháil duit, Monica, a thabharfaidh aire lánaimseartha duit.'

'Ní bheidh aon fhear eile i mo shaol agam tar éis Frankie. Tuigeann tú sin. Is é sin mura nglacfaidh tú féin liom?'

'Ghlacfainn leat agus fáilte, Monica, ach tuigeann tú go maith nach mbeidh mise ag dul ag pósadh arís. Tá Frankie marbh le breis agus trí bliana anois. Ní déarfadh duine ar bith go mbeifeá mídhílis dó dá bpósfá an athuair.'

'Sea. Sea. Go deimhin. Phósfainn, cinnte, dá nglacfadh fear áirithe liom. Tá a fhios agat cé hé féin.'

Ní raibh aon fhreagra ó Nathy.

'An mbeidh tú ag fanacht thar oíche,' ar sí.

'Ar éigean é, Monica. Tá roinnt rudaí le déanamh agam. An bhfuil cead agam do theileafón a úsáid?'

'Is mó an grá agat do mo theileafón ná dom féin.'

'Cuir an citeal ag beiriú, Monica. Beidh braon tae againn le chéile. Ní bheidh mé rófhada ar an bhfón.'

D'imigh Monica léi isteach sa chistin agus dhún sí an doras ina diaidh. Nuair a bhíodh glao teileafóin le déanamh ag Nathy Havers níor mhaith leis go mbeadh duine ar bith ag éisteacht leis.

Bhuail sé isteach na huimhreacha agus chuala sé *'Sea?'* ón taobh eile.

'Conas atá agaibh,' ar sé.

'Go maith. Go maith. Conas atá agat féin?'

'An ndéanfá gar beag dom?'

'Gan amhras. Déanfaidh agus fáilte.'

D'inis Nathy a scéal dó. Nuair ba leor leid, is leid a thug sé. Níor thug sé miontuairiscí. Ag deireadh an scéil labhair an fear eile.

'Níor chuala mé dada faoina leithéid sin. Tá a ndóthain trioblóide cheana féin acu anseo. Fág fúmsa é ar feadh tamaillín, agus cuir glao orm arís níos déanaí.'

'Leathuair an chloig?'

'Ba leor sin a déarfainn.'

Bhí an tae ólta agus dreas cainte déanta acu istigh sa chistin nuair a chuaigh Nathy go dtí an fón arís. Bhí eolas ar fáil dó an babhta seo.

'Tá aithne ag daoine ar an bhfear óg sin. Deirtear go bhfuil sé go huile agus go hiomlán faoi thionchar drugaí. Fear óg é atá ró-uaillmhianach ar fad. Ní raibh údarás ar bith aige dul chugat. Níor dhein sé ionsaí le scian ar dhuine ar bith go dtí seo chomh fada agus is eol do dhaoine sa cheantar seo. Dá mbeadh ciall ar bith ag an bhfear bocht ní dhéanfadh sé ionsaí in áit a mbeadh *CCTV* ag faire air. Rótheasaí ar fad. Fear óg gan chiall. Glac leis, go mbeidh muintir na dúiche seo ar a thóir anois. Ní chloisfidh tú féin a thuilleadh faoi, agus ní chloisfidh daoine eile faoi sa todhchaí ach chomh beag, a déarfainn.'

B'in deimhniú do Nathy ar an tuairim a bhí ina chloigeann féin. Ní raibh údarás ar bith ag an bpleidhce óg sin. As a stuaim féin a bheartaigh sé ionsaí a dhéanamh ar Dessie mar nár éirigh go rómhaith leis sa chomhrá le Nathy Havers níos luaithe sa tráthnóna. Agus ba mhaith gur insíodh dó nach raibh muintir Learphoill ar a thóir in aon chor. Ba mhór an faoiseamh é. Chaithfí ceiliúradh beag a dhéanamh dá bharr sin.

'Tá cuma sách sásta ort, Nathy. Fuair tú dea-scéal?'

'D'fhéadfá a rá.'

Thuig Monica nach mbeadh pé scéal a bhí ag Nathy á insint aige di siúd. Agus dáiríre níor theastaigh uaithi a scéal a chloisint. Mura mbeadh eolas aici ní bheadh sí i mbaol dá mbeadh aon rud conspóideach i gceist. Bheadh a fear céile Frankie beo fós dá mba rud é nach raibh eolas áirithe faighte aige faoi dhaoine áirithe.

Fear fial ab ea Nathy Havers. Ní bheadh an saol ró-éasca aici anois murach é. Dá mba rud é gur fostóir eile ar bith a bhí ag Frankie oíche a bháis ní bheadh aon chabhair airgid á fháil aici.

'Fanfaidh tú thar oíche, Nathy?'

'Go ceann tamaillín, ar aon nós, Monica.'

Chuir Nathy glao ar Bianca ar an bhfón póca. Bhí sí ar ais sa *casino*, tar éis a turais ar bhean Dessie in Moston. Dúirt Bianca leis gur éirigh go maith léi. Dúirt seisean léi siúd go raibh dea-scéal faighte aige féin. Níor thuig sí i gceart cén chiall a bhí lena ráiteas ach ba chuma sin. Bheadh míniú uaidh nuair ba chuí é a fháil, agus nuair nach mbeadh baol ar chúléisteacht ar an bhfón. D'iarr sé uirthi na glais a chur ar an doras ar a ceathair a chlog ar a dhéanaí, agus duine ar bith a bhí fágtha sa *casino* a ruaigeadh amach abhaile ag an am sin. Gheall sise go ndéanfadh.

Mhúch Nathy an fón póca. Ní bheadh aon ghlao eile le cur aige ar dhuine ar bith anocht. Bheadh cúpla uair an chloig aige sa leaba le Monica sula rachadh sé abhaile.

Bhí daoine ag corraí ar na sráideanna agus bhí an lá ag breacadh nuair a shroich Nathy a theach féin. Bhí sé deich nóiméad tar éis a seacht. Bheadh cúpla uair an chloig codlata aige ina leaba féin sula dtosódh sé ar obair an lae. Bhí na madraí ar chúl an tí ag tafann ach shocraigh siad síos nuair a d'aithin siad glór Nathy á mealladh chun suaimhnis. Gan choinne thosaigh an fón ag bualadh.

Uimhir mhícheart a bheadh ann an t-am seo de lá, gan amhras. Ní bheadh duine ar bith ag iarraidh teacht air chomh luath sin ar maidin. Ach b'fhéidir gur scéala a bhí ag Bianca dó faoi Dessie.

B'fhéidir go raibh Dessie tar éis bás a fháil i rith na hoíche. Ach ní fhéadfadh gur Bianca a bhí ann ach an oiread. Chuirfeadh sise glao ar an bhfón póca dá mbeadh scéala aici. Is ansin a rith sé leis gur mhúch sé an fón póca aréir i dteach Monica, agus mo léan, go raibh sé múchta fós.

D'ardaigh sé an gléas go tinneallach.

'Sea,' ar sé.

Bianca a bhí ann.

'Nathy. Cá raibh tú? Bhíos ag iarraidh teacht ort ar feadh na hoíche. An bhfuil an fón póca múchta agat? Conas nach raibh aon fhreagra ar an bhfón baile? Pé ar bith, tá drochscéala agam duit'

'Mo leithscéal, Bianca. Nílim ach tagtha isteach abhaile anois díreach. Chuala tú drochscéal faoi Dessie?'

'Ní faoi Dessie mo nuacht, Nathy, ach faoin

casino. Chuaigh an *casino* trí thine aréir. Tháinig an fear a sháigh Dessie sa scornach ar ais timpeall a haon a chlog, agus d'éirigh leis galún peitril a chaitheamh isteach an doras agus lasán a chur leis. Phléasc an áit ina lasracha ar an bpointe boise. Tá Harry san ospidéal agus é dóite. Loisceadh go dona é. D'éirigh liomsa agus le gach duine eile a bhí i láthair éalú amach an cúldoras ach níl faic fágtha anois den *casino*. Tá an foirgneamh scriosta, go hiomlán. Tá sé ina mhúr thar grian. Níl fágtha ach smionagar. Ní raibh na fir tine in ann dada a dhéanamh. Chuaigh gach rud in airde sa spéir. Ba dhóigh leat gur teach cipíní a bhí ann.'

17

Labhair Sophie de ghuth íseal ionas nach gcloisfí í amuigh sa bhialann.

'Fiú is nach bhfuil againn fós ach deireadh mhí Aibreáin, Thanielle, caithfidh go bhfuil an samhradh ag teacht. Tá turasóir amháin ach go háirithe ar an mbaile, agus tá sé tagtha chugainn isteach le haghaidh a lóin cheana féin, ach gur bricfeasta a d'iarr sé. Sasanach mura miste leat, a bhfuil dhá cheamara ag luascadh leis. Ba mhaith leis *full English breakfast.* Cad is *full English breakfast,* Thanielle?

Bhí an gás á lasadh ar an sorn ag Thanielle cheana féin le linn di a bheith ag éisteacht le Sophie.

'Bagún friochta, dhá ubh fhriochta, tráta friochta,

ispíní dá mbeidís againn, rud nach bhfuil faoi láthair, agus tósta. Agus tae gan amhras. Ar luaigh sé tae leat?'

'Níor luaigh. Cuirfidh mé ceist air.'

Chuaigh Thanielle go dtí doras na cistine agus thug sí sracfhéachaint i dtreo an tSasanaigh. Chaithfí a admháil go raibh sé tagtha isteach chucu go breá luath sa lá. Go hiondúil ní thagadh duine ar bith chucu go ceann leathuair an chloig eile nó níos déanaí fós. Ní raibh Pierre féin tagtha le glasraí úra an lae, agus eisean ba thúisce a thagadh ar maidin.

Tháinig Sophie ar ais isteach sa chistin.

'B'fhearr leis an bhfear uasal caifé, a deir sé.'

'Caifé úr an lae don Sasanach más ea, ambaist.'

'Déanfaidh mé féin é,' a d'fhógair Sophie.

'Maith thú, go raibh maith agat, Sophie.'

Pé Sasanach a bhí tagtha isteach níorbh é a hathair as Manchain é, a mhachnaigh Thanielle. Bhí an firín seo róbheag ar fad. Fathach fir ab ea a hathair. Dúirt a máthair léi go raibh gar don dá mhéadar ar airde ann.

Smaoinigh Thanielle ar an dá litir a bhí scríofa aici go dtína hathair. Go dtí oifig Jean Bouygues a thiocfadh aon fhreagra a gheobhadh sí, agus gheall seisean go gcuirfeadh sé scairt uirthi láithreach dá dtiocfadh litir ar bith chuige.

Ba ar an turas chun na sochraide a mhínigh Jean Bouygues di conas a bheadh cúrsaí uaidh sin amach.

'Theastaigh roinnt ama uaim chun an scéal casta seo go léir a mhíniú duit, Thanielle,' a dúirt sé léi, 'agus bíonn brú damanta oibre orm san oifig. Is maith go bhfuil tú liom anois, mar tugann seo deis dom an scéal ina iomláine a chur i do láthair.

'Is dóigh liom go ndúirt mé leat go raibh bean chéile ag Mario tráth den saol, agus go rabhadar scartha ó chéile le fada an lá. Ach thagaidís le chéile gach Lá Fhéile Vailintín ag an ospidéal ina bhfuil an iníon ina hothar.

'Bhí uacht déanta ag Mario atá dleathach amach is amach de réir dlí na Fraince. Ach is san Iodáil atá buanchónaí ar a iarbhean chéile, a bhaintreach anois. Is baolach nach nglacann córas dlí na hIodáile le gach rud atá dleathach sa Fhrainc. Dá bharr sin b'éigean dom dul i dteagmháil leis an mbaintreach, agus bhí sé deacair é sin a dhéanamh ar an bhfón. Níl Fraincis ar bith aici, agus níl líofacht iomlán san Iodáilis agamsa. Ach mhínigh mé di gach a raibh leagtha amach san uacht.

'Tá trian de mhaoin Mario le dul chuici féin, agus an dá thrian eile le cur in iontaobhas. Thuig sí é sin uaim ar aon nós. Ansin chaithfeadh sí a rá liom pé acu an raibh sí toilteanach glacadh leis sin nó nach raibh. Chaithfí roinnt ama a fhágáil aici chun go mbeadh deis aici comhairle dlíodóra a fháil, dá mb'áil léi sin.

Ní raibh tuiscint ó thalamh an domhain ag Thanielle ar iontaobhas, ná cén fáth go mbeadh an scéal seo á insint ag Jean Bouygues di, ach lean sé air.

'Beimidne ag caint leis an mbaintreach inniu, tar éis na sochraide, agus má bhíonn sí sásta glacadh leis an trian a fágadh aici, beidh mé féin in ann na rudaí eile atá san uacht a chur i gcrích. Is mise a bhí ceaptha ag Mario mar sheiceadóir, agus gan amhras comhlíonfaidh mé mo dhualgais. Beidh dualgais áirithe ortsa freisin mura mbeidh aon deacracht faoi leith agam le baintreach Mario.'

Ghlac Thanielle leis gur tagairt é sin dá cuid dualgas sa bhialann, agus gan amhras bhí sí ag comhlíonadh na ndualgas sa bhialann cheana féin.

Ar an mbealach abhaile tar éis a chuid cainte le baintreach Mario a mhínigh an *notaire* di cad a bhí le titim amach. Dúirt sé léi go raibh an bhaintreach sásta glacadh leis an trian de mhaoin

Mario a fágadh aici le huacht, ar choinníollacha áirithe.

Ar an gcéad dul síos chaithfeadh sí €30,000 a fháil in airgead glan taobh istigh de bhliain, agus ansin chaithfeadh sí an fuílleach a bhí ag dul di a fháil taobh istigh de thrí bliana. Ghlac sí leis gurbh í an bhialann an tsócmhainn ba mhó sa saol a bhí ag Mario, agus dáiríre nach raibh puinn airgid aige. Chaithfí pé airgead a bhí sa bhanc a choimeád ar leataobh chun costais na sochraide agus táille an *notaire* a íoc.

Mura mbeadh an socrú sin ann níor mhór an bhialann a dhíol láithreach chun go n-íocfaí sciar na baintrí ina iomláine gan mhoill. Ach níor ghá an bhialann a dhíol dá mbeadh Thanielle toilteanach leanúint leis an ngnó, agus go n-íocfaí cuid na baintrí thar trí bliana. Ansin, dar ndóigh, ag deireadh na dtrí bliana bheadh an bhialann i bhfad níos luachmhaire, agus is ag an iontaobhas a bheadh an úinéireacht iomlán.

Mínigh sé do Thanielle ansin cad a bhí i gceist le hiontaobhas.

Baineadh geit aisti nuair a dúirt an *notaire* léi go raibh sé dlite ag Mario ina uacht gurb iad an triúr páistí, a mac Paulo, Gino agus a hiníon Jiulietta a gheobhadh luach an dá thrian ón iontaobhas, nó an t-iomlán ar fad nuair a bheadh a cuid faighte ag an mbaintreach. Ach faraor, ba i gcúram an iontaobhais a bheadh an úinéireacht go dtí go mbeadh Jiulietta, an leanbh ab óige, in aois a hocht déag.

Dá mbeadh Thanielle toilteanach leanúint ar aghaidh leis an ngnó ar an mbonn sin bheadh gach duine sásta, agus bheadh a triúr clainne ag teacht go maith as.

Mhol an *notaire* di glacadh leis mar mhargadh. Bheadh post ann di féin sna blianta a bhí le teacht, agus bheadh an *Ristorante Génova* ag an triúr nuair a bheadh Jiulietta in aois a hocht déag.

Ba mhaith an margadh é.

Bhí gné amháin a bhí ag déanamh tinnis di. An mbeadh ar a cumas an €30,000 a íoc faoi dheireadh na bliana? Agus cé mhéad a bheadh ag teastáil taobh istigh de thrí bhliana? Níor thug an *notaire* aon fhreagra ar na ceisteanna sin.

Dúirt sé nár dhóigh leis go mbeadh aon deacracht rómhór ann, go mbeadh an cuntasóir ag leagadh síos clár faisnéise airgeadais, agus go gcaithfeadh sí cloí leis sin.

Mheas Thanielle go dtiocfadh gach duine go maith as sa ghearrthréimhse ach go háirithe, ach mura n-éireodh léi siúd sa ghnó go mbeadh an phraiseach ar fud na mias. Thuig sí nach mbeadh rud ar bith le roinnt eatarthu mura n-éireodh léi féin daoine a mhealladh isteach sa *Ristorante* ar bhonn rialta.

Nuair a tháinig an cuntasóir chuici i rith na seachtaine dar gcionn ba é an scéal ceannann céanna aige siúd é. Chaithfeadh tuilleamh áirithe a bheith ann. Ina éagmais sin ní éireodh léi. Dúirt sé nach raibh aon údarás aige féin rialacha a leagadh síos di. Bheadh tuarascáil á cur ar aghaidh aige go dtí an *notaire*. Ba ar an *notaire* a bhí cúram an iontaobhais, agus eisean a leagfadh síos na rialacha.

B'fhearr le Thanielle nach mbeadh na cúraimí airgeadais seo go léir uirthi. Ní raibh aon taithí aici ar na nithe seo. Dá mbeadh a hathair as Manchain ann mhíneodh sé an scéal casta seo go léir di. Chabhródh sé léi modh oibre a bheadh sásúil a ghlacadh chuici féin. Dúirt a Maman léi go mbíodh post in oifig i gcomhlacht mór i Manchain ag a hathair. Dá bharr sin ba chóir go dtuigfeadh sé cúrsaí airgeadais. Ar ócáidí mar seo a chuimhníodh sí gur thrua nárbh ann dó chun teacht i gcabhair orthu.

Thug Sophie an *full English breakfast* go dtí bord an tSasanaigh.

Nuair a d'fhill sí ar an gcistin d'fhógair sí go raibh fótagraif á dtógáil ag an Sasanach. Theastaigh fótagraf di féin uaidh.

'Cad a dúirt tú leis?'

'Dheineas gáire beag. Ní dúirt mé dada. I mo thuairimse tá an chuma ar an bhfear sin go bhfuil sé beagáinín as a mheabhair.'

'Aidhe, ní féidir a bheith ag brath ar Shasanaigh. Tá a fhios agat sin, a Sophie.'

'Tuigim duit, Thanielle, a chroí. Tuigim duit.'

Níorbh fhada gur chuala siad *'Bonjour'* ó Pierre.

'Mesdames, mes amis, conas tá agaibh ar maidin? Tá teas san aimsir ar deireadh. Tiocfaidh an samhradh chugainn arís i mbliana ach sinn a bheith foighneach.'

Chuaigh Thanielle ina threo. Ghlac sí an ciseán plaisteach ina raibh glasraí an lae uaidh.

'Aidhe, Pierre, nach luath atá píseanna úra na bliana agat! Nach tú an gaiscíoch. Maith thú. Beidh an-fháilte rompusan.'

'Is baolach nach mbeidh ach fíorbheagán acu go ceann tamaill eile. Tá sé róluath fós dóibh. Ach ba chóir go mbeadh prátaí úra na bliana agam gan aon rómhoill.'

'Beidh coinne againn leo siúd. Gan amhras beidh, Pierre. Conas tá an saol agat ach go háirithe?'

'Go maith, go maith. Ní baol dom. Ag dul in aois atáim. Sin an t-aon chúram atá orm. Nár bhreá a bheith óg arís, dá bhféadfaimis é.'

Bhí an Sasanach ina sheasamh faoin am seo.

'Fótagraf, fótagraf *s'il vous plait. Tout le monde.*'

'Sasanach eile atá glan amach as a mheabhair, a déarfainn,' arsa Pierre, faoina anáil.

Dhein sé miongháire mór mantach. *'Smile for the*

gentleman's camera,' ar sé.

Bhí sé bailithe leis amach an doras sula bhfuair an Sasanach deis ar fhótagraf eile a iarraidh orthu.

Bhí obair le déanamh ag Thanielle agus d'fhill sí ar an gcistin, an ciseán glasraí ar leathlámh léi.

'Sophie, réitigh an *addition* don fhear sin. B'fhearr liom go mbeadh sé bailithe leis as an mbialann. Táimse beagáinín amhrasach faoi.'

'Ceart go leor, Thanielle.'

Nuair a d'fhill Sophie ar an gcistin, bhí nóta €20 idir a méara aici agus í á chroitheadh san aer, anonn is anall.

'Briseadh airgid uait? Tá briseadh airgid sa bhosca, Sophie,' a dúirt Thanielle léi.

'Fuaireas an briseadh airgid, Thanielle, agus thugas a chuid dó. Is mise a fuair é seo mar shíneadh láimhe. Fiche euro, a thaisce. Faoi mar a dúirt mé leat bhí seisean beagáinín as a mheabhair. Nach trua nach mbíonn gach éinne a thagann isteach chomh breá flaithiúil. Ar aon nós, Thanielle, a chroí, roinnfear an ceann seo eadrainn beirt - €10 duitse agus €10 domsa.'

'Is leatsa é, Sophie. Coinnigh do rath. Go raibh maith agat, mar sin féin.'

'Beidh an t-ádh á roinnt eadrainn an babhta seo, Thanielle. Ná bíodh aon argóint faoi.'

18

Níor fhan Nathy rófhada ag faire ar smionagar an *casino*. Ba léir nach bhféadfaí atógáil a dhéanamh as an méid a bhí fágtha. Gan ann ach an chreatlach. De réir dlí bheadh dualgas air anois cead pleanála a lorg as an nua.

Múchann tine cead pleanála, a deirtear. Bheadh roinnt míonna ann go dtí go mbeadh an cead pleanála úr faighte aige, agus leathbhliain ar a laghad ina dhiaidh sin arís sula mbeadh foirgneamh úr tógtha aige ar an láthair. B'fhéidir nach gceadófaí dó *casino* nua a thógáil ar an suíomh in aon chor. D'fhéadfadh comharsana cur in aghaidh a iarratais. Bhí aicmí áirithe ar an saol a bhí glan in aghaidh aon *casino* in áit ar bith, díreach ar chuma siopaí geallghlacadóra, ráschúrsaí fiú.

Airgead an árachais a tharraingt ón gcomhlacht árachais a bhí le déanamh anois aige, agus athmhachnamh a dhéanamh ar a shaol. Níorbh fhiú dada an gnó sa gharáiste. B'fhearr dó fanacht amach ón áit sin go fóill ar aon nós.

Thug sé aghaidh ar oifig an chomhlacht árachais. Sea, gan amhras, a dúradh leis, bheadh airgead le fáil aige uathu ceart go leor. Ach chaithfeadh a guid cigirí féin mionscrúdú a dhéanamh ar an suíomh chun a chinntiú gur de thimpiste a tharla an dóiteán, agus nach raibh lámh aige féin ná ag aon duine a bhí ag gníomhú ar a shon i gcleasaíocht d'aon chineál. Ní hamhlaidh a bhí siad in amhras faoi ná rud ar bith dá leithéid, ach ba iad sin na rialacha. Ní raibh neart acu air. Chaithfidís tuarascáil a fháil ó na póilíní freisin. Go dtí go mbeadh sé sin go léir déanta ní cheadófaí dóibh aon airgead a íoc amach.

Mhachnaigh Nathy ar an dá thaisceadán a bhí san fhoirgneamh roimh an tine. Ba as cruach a bhí siad sin déanta. Ní dhófaí an chruach i dtine. Thíos ar urlár an tí a bhí siad anois faoi bhrat smionagair. Conas a d'fhéadfadh sé teacht orthu? Ní bheadh sé féin in ann an obair a dhéanamh gan cabhair a bheith aige. Bheadh gá le meitheal fear, ach is ar éigean a bheadh fonn ar a ghnáthchairde tabhairt faoin obair. D'fheicfí iad ar an láthair agus bheadh an baol ann go gcuirfeadh duine éigin glao ar na póilíní. Ní theastódh sin uathu. An bhféadfaí an obair a dhéanamh os íseal go déanach san oíche? B'fhéidir gurbh fhearr labhairt leis an gcomhlacht árachais faoin bhfadhb. Bheadh an cúram orthu sin ansin. Chaithfidís na taisceadáin a thabhairt ar láimh dó féin nuair a bheidís aimsithe acu. Sin é a dhéanfadh sé. Ach an raibh aon seans gur thug Bianca léi an t-airgead a bhí sna taisceadáin? Bhí dóthain ama acu go léir chun éalú go sábháilte ón tine tríd an gcúldoras. Ní foláir nó bhí dóthain ama ag Bianca an t-airgead a thógáil as na taisceadáin agus é a thabhairt léi. Ualach sách

trom a bheadh ann ach bhí málaí móra san oifig a
d'oirfeadh go breá don obair.

Ach cá raibh Bianca faoi láthair? Bhí cúpla
iarracht déanta aige teacht uirthi, ach ní raibh aon
fhreagra óna fón. An raibh sos á ghlacadh aici ar a
leaba tar éis na hoíche?

B'fhéidir go raibh.

Bhí an fón póca múchta aici, agus ní raibh fón
baile aici ina hárasán. D'fhág sé teachtaireacht ar an
bhfón póca ach níor ghlaoigh sí ar ais air. Ní raibh
cuireadh go dtí a hárasán faighte riamh ag Nathy,
agus ba leasc leis dul ann gan chuireadh. Dá
mbeadh sí fós ina codladh ní bheadh sí róbhuíoch
dá dtiocfadh sé ag réabadh ar an doras dúnta.

Níor theastaigh ó Nathy Havers filleadh ar oifig
an chomhlacht árachais gan an t-eolas iomlán a
bheith aige faoi na taisceadáin. An raibh airgead
fós iontu nó an raibh sé tógtha ag Bianca?
D'fhéadfadh caoga nó seasca nó seachtó míle

punt a bheith i gceist. Bhain sé triail eile as fón Bianca. Bhí an fón múchta fós.

D'íosfadh sé greim. Ansin rachadh sé go dtí an t-ospidéal ar thuairisc Dessie. Dá bhfaigheadh seisean bás bheadh ceisteanna diana á gcur ag na póilíní air. D'fhéadfaí a léiriú go raibh sé ar dualgas ag an *casino* ag an am a sáthadh é. Sin ráite, ní raibh ach finné amháin ann. Ba mhaith go bhfuair Bianca a hainm agus a seoladh siúd. Nuair a bheadh deireadh déanta aige san ospidéal rachadh Nathy chuici. Thabharfadh sé dhá mhíle punt di, agus ba leor sin chun nach mbeadh cuimhne aici ar rud ar bith dá bhfaca sí. Sin agus go dtuigfeadh sí go raibh cónaí uirthi i gceantar contúirteach áit a bhféadfadh tionóisc tarlú di am ar bith.

Ach ní raibh teacht ag Nathy ar fhlúirse airgid faoi láthair. Bhí míle punt fágtha sa bheartán faoina shuíochán sa charr, agus bhí deich míle nó mar sin i bhfolach aige in áiteanna éagsúla ar fud an tí sa bhaile. Ní bheadh sé sin i bhfad á chaitheamh. Thógfadh sé tamall air airgead a fháil as a chuntas in Oileán Jersey. Bhí gar do mhilliún go leith i gcuntas *Bulldog & Co* ach b'in an carn airgid a bhí curtha i leataobh aige dá sheanaois. Cuntas ab ea é sin a gcuirtí leis gan baint as. Dá mbeadh an t-airgead a bhí sna taisceadáin ar láimh ag Bianca níor bhaol dó. Ach conas nach raibh Bianca ag glaoch air? Ní fhéadfadh sí a bheith sa leaba ina codladh fós.

D'ioc sé a bhille sa bhialann agus thug sé a aghaidh ar a ghluaisteán. Thosaigh an fón póca ag bualadh. Bianca a bhí ann.

'Bhí mé ag iarraidh teacht ort,' ar sé léi. 'An bhfuil tú fós sa leaba? An bhfuil tusa ceart go leor?'

'Nílim sa leaba in aon chor, ná aon bhaol air. Táimse in aerfort Ghlaschú.'

'Tá tú in aerfort Ghlaschú? Cad atá ar siúl agat in aerfort Ghlaschú?'

'B'in é an t-aon eitilt a bhí mé in ann a fháil amach as Manchain. Táim ag dul ar bord eitleáin de chuid *British Airways* go dtí Nua-Eabhrac anois díreach. Táthar tar éis glaoch orainn. Má thagann tú amach go dtí na Stáit Aontaithe uair ar bith beidh tú in ann teacht orm i Miami. Beifear in ann a rá leat cá bhfuil an bhean ag obair a bhfuil *MADE IN ENGLAND* ar a gualainn. Idir an dá linn ní chloisfidh tú uaim. B'fhearr nach mbeadh nasc ar bith eadrainn go ceann tamaill. Caithfidh mé imeacht. Táthar ag glaoch orainn ar an gcallaire arís. Ar chuala tú go bhfuair Dessie bás? Caithfidh mé imeacht, Nathy. Slán.'

Agus bhí sí imithe. Dhein Nathy roinnt iarrachtaí glaoch ar ais uirthi ach ní raibh aon fhreagra. Ní raibh eolas faighte aige ar cheist an airgid sna taisceadáin, agus ní raibh ainm agus seoladh na mná a chonaic Dessie á shá faighte aige. Ba chuma sin anois agus Dessie marbh. Bheadh an scéal i lámha na bpóilíní anois gan leigheas aige air. Agus bhí a *casino* dóite go talamh.

Shuigh Nathy ina charr ar feadh tamaill ag déanamh a mhachnaimh. Ansin thug sé aghaidh ar oifig dlíodóra ar Bhóthar Rochdale. Dheineadh seisean roinnt oibre ar a shon ó thráth go chéile.

B'éigean dó fanacht go foighneach sa seomra feithimh ar feadh leathuair an chloig, go dtí go raibh an dlíodóir ar fáil dó. Nuair a bhí a ghnó críochnaithe ag Nathy d'fhill sé ar a charr. Chuir sé glao ar Monica. Bhí sí ag cur taom casachtaigh di nuair a d'fhreagair sí an glao.

'Aidhe, caithfidh tú éirí as na toitíní, Monica. Déanfaidh siad dochar do do shláinte. Tá sé ráite agam leat míle uair.'

'An ceart agat, Nathy. Tá sé ráite agat liom go mion minic. Ná bí ródhian orm. Nach iad an t-aon sólás atá agam sa saol?'

'Cogar, Monica. Déanfaidh tú gar beag dom?

'Nach é sin a bhíonn á dhéanamh agam de shíor, Nathy?'

'Sé seo an babhta deireanach a iarrfaidh mé rud ort.'

'Chuala mé é sin cheana féin uait freisin. Abair leat.'

'Téigh láithreach go dtí oifigí an dlíodóra atá ar Bhóthar Rochdale. Tá a fhios agat é. Beifear ag súil leat. An ndéanfaidh tú sin dom?'

'Déanfaidh mé duitse é. Ní dhéanfainn d'aon fhear eile beo é. An fada go dtiocfaidh tú ar cuairt chugam arís?'

'Cá bhfios, Monica? Cá bhfios? Slán.'

Nuair a chuaigh Monica go dtí oifig an dlíodóra bhí scéal roimpi nach raibh aon choinne aici leis. Ar dtús chaithfeadh sí dul go dtí ospidéal an *Royal Infirmary*.

Bhí corp Dessie aistrithe go dtí an mharbhlann faoin am seo, agus is ann a d'aimsigh Monica bean

Dessie. Tina a dúirt sí ab ainm di. Chuir Monica í féin in aithne di. Dúirt sí léi go gcaithfidís a bheith i dteagmháil lena chéile tar éis na sochraide, go raibh gnó acu beirt i dteannta a chéile in oifigí dlíodóra ar Bhóthar Rochdale. Ansin i ngan fhios do na daoine eile a bhí i láthair, sháigh Monica beartán isteach i ndorn Tina. Míle punt a bhí ann, an míle punt a bhí faoin suíochán ina charr ag Nathy Havers go dtí tráthnóna an lae inniu.

'Is duitse é sin, Tina. Ó Nathy Havers, go fóillín,' a d'fhógair sí.

Tar éis tamaillín bhog Monica léi amach as an ospidéal.

Bhí dualgas eile uirthi le comhlíonadh roimh oíche. Thug sí aghaidh ar theach cónaithe Nathy. Bhí eochair an dorais faighte aici ón dlíodóir ar Bhóthar Rochdale. Caithfeadh sí bia a chur ar fáil don dá mhadra. Bhí sé ráite ag Nathy léi go raibh siad chomh mór le capaill bheaga, ach ní raibh aon choinne aici leis an radharc a chonaic sí. Ach lá arna mhárach faoi mar a d'ordaigh an dlíodóir di, chuirfeadh sí glao ar an gCumann um Shábháilteacht Ainmhithe, agus bhéarfaidís sin leo iad.

Dhein sí cuardach ar fud an tí go bhfuair sí mála taistil sách mór. Chuaigh sí go dtí na háiteanna a bhí scríofa amach ag Nathy ar leathanach páipéir in oifig an dlíodóra a bhí anois ina glaic aici. Bhailigh sí na beartáin airgid a bhí i bhfolach aige sna láithreacha éagsúla ar an liosta. Chruinnigh sí an t-airgead isteach sa mhála taistil.

Bhí a gnó déanta aici. D'fhéadfadh sí dul abhaile anois. D'fhéach sí timpeall an tseomra. Ní raibh le déanamh aici ach an solas a mhúchadh agus an glas a chasadh arís sa doras. Thiocfadh Nathy chuici uair éigin chun a chuid airgid a fháil. Leis an bhféachaint dheireanach timpeall an tseomra is ea a chonaic sí an litir a bhí scríofa i bhFraincis agus í oscailte amach ar an mbord.

Chonaic sí go raibh *Cher Père* ag a barr, agus *Le grá ó d'iníon, Thanielle* ag an mbun. Léigh sí an litir ó thosach deireadh. Chaith sí suí i gcathaoir ina dhiaidh sin. Ní raibh aon tagairt déanta riamh ag Nathy d'iníon a bheith aige i mBiarritz. Ná in áit ar bith. An é nárbh eol dó iníon a bheith aige?

Bhí leathanach eile páipéir ar an mbord. Scríbhneoireacht Nathy féin a bhí ann. Bhí aistriúchán sách cruinn go Béarla déanta aige ar an litir óna iníon. Cheap Monica go raibh tuiscint níos fearr ag Nathy ar Fhraincis ná a d'admhaigh sé riamh di. Ach b'in Nathy agat. Ní raibh sé de nós aige a rún a ligean le daoine.

19

Thosaigh an fón i dteach an iarbhleachtaire Malcolm Fossett ag bualadh agus é ag casadh eochair an dorais. Bhain sé an fón amach gan an doras a dhúnadh.

'Sea,' ar sé.

'Malcolm, conas atá agat?'

An bleachtaire George Gibson a bhí ann.

'George, nóiméad amháin le do thoil. Caithfidh mé an doras a dhúnadh.'

D'fhill sé.

'Conas atá agat, George? Conas atá an saol?'

'Go maith. A leithéid seo. Ár gcara Nathy Havers.'

'Chuala scéal an dóiteáin ar an raidió ar maidin. Ní fhaca mé aon nuachtán fós inniu. Bhíos in Sheffield. Agallamh do phost mar bhainisteoir slándala i monarcha. Nílim ach istigh anois díreach.'

'Conas a d'éirigh leat?'

'Go han-mhaith, i mo bharúil féin. Mhair an t-agallamh beagnach uair an chloig.'

'Maith thú, Malcolm.'

'Tugadh ar mórchuairt timpeall na monarchan mé, istigh agus amuigh, agus mhair sé sin beagnach uair an chloig eile. Tá breis agus ocht gcéad duine fostaithe ann. D'oirfeadh sé go breá dom dá bhfaighinn an post.'

'Cathain a dúirt siad a bheidís i dteagmháil leat?'

'Taobh istigh de sheachtain, nó níos túisce.'

'Cuir scairt orm nuair a bheidh scéala faighte agat. Anois, ár gcara Havers. Níl a fhios againn fós go beacht cad a tharla sa *casino*. Mar a thuigimid an scéal faoi láthair, chaith duine éigin galún peitril isteach an doras, agus dódh an fear faire go dona. Tá seisean san ospidéal. D'éalaigh gach duine eile a bhí i láthair amach an cúldoras. Tá ceisteanna gan freagairt.'

'Mar a bhíonn i gcónaí, George.'

'Tá an ceart agat. Ach sa chás seo bhí troid de chineál éigin idir duine éigin nach eol dúinn cé hé, agus giolla dorais a bhí fostaithe ag Havers. Níl a fhios againn ar tharla sé sin níos luaithe san oíche nó nuair a caitheadh an peitreal isteach, nó ar tharla sé in áit éigin eile ar fad. Sáthadh sa mhuineál an giolla dorais agus fuair sé bás níos déanaí san ospidéal. Bhíomar ag caint lena bhean. Ní dóigh liom go raibh siad pósta ar a chéile, ach tá beirt leanaí óga fágtha. Níor fhéadamar ceisteanna ródhian a chur ar an mbean go fóill, ach nuair a labhraíomar léi ní raibh focal aisti. Focal ar bith. Bhí a béal dúnta go daingean aici. Déarfainn go bhfuil roinnt eolais aici nach bhfuil á scaoileadh aici linn.'

'Agus ar dhein sibh aon chaint le Havers féin?'

'Dhéanfaimis, cinnte, ach teacht air. Agus tá a iníon, Bianca *MADE IN ENGLAND* ar iarraidh chomh maith, gan tásc ná tuairisc ar cheachtar acu. Bhí an comhlacht árachais i dteagmháil linn. Chuaigh Havers chucu féachaint an mbeadh sé in ann airgead an árachais a bhailiú. Ní bheidh aon phingin rua á híoc amach acu go dtí go mbeidh ár gcuid fiosruithe go léir déanta againne.'

'Ní bheidh sé róshásta leis sin.'

'Bíodh aige. Tá an comhlacht thar a bheith sásta leis, mar a bheadh súil agat. Slán, Malcolm.'

Thug Malcolm aghaidh ar *The Great Wall,* agus níorbh fhada go raibh pláta an lae, rogha na bialainne, os a chomhair amach. Bhí sé sásta go maith leis an agallamh don phost in Sheffield, agus mheas sé go bhféadfadh sé comhoibriú go maith leis na daoine a raibh sé ag caint leo. Ní raibh le déanamh aige anois ach a bheith foighneach go ceann cúpla lá.

Ansin thosaigh sé ag machnamh ar scéal mór an lae. Bhí seoladh baile Nathy Havers aige. Cén fáth nach dtabharfadh sé féin turas amach ann?

Nuair a bhain Malcolm teach cónaithe Nathy Havers amach chonaic sé solas ar lasadh sa teach.

'Aidhe, ambaist,' ar sé leis féin, 'tá an gaiscíoch istigh. Conas nach bhfuil póilíní ag faire ar a theach?'

Ba é freagra na ceiste sin gan amhras ná go raibh an tuiscint chéanna acu siúd is a bhí aige féin. Ní raibh aon bhaint ag Havers le bás an ghiolla dorais. Ní fhéadfaí an marú a chur ina leith siúd. Bheidís ag cur a gcuid ama amú dá mbeadh póilín ar bith ar dualgas lánaimseartha i gcomharsanacht a thí chónaithe.

Ansin go tobann ní raibh an solas sa teach le feiceáil a thuilleadh. Chonaic Malcolm bean ag teacht amach agus mála taistil ar iompar aici. Chas sí eochair sa doras faoi dhó, agus shiúil sí chomh fada le stad an bhus. Ní raibh scuaine ag fanacht. Sheas sí ann ag fanacht ina haonar.

Ghluais Malcolm go tapa i dtreo stad an bhus. Nuair a tháinig sé chomh fada leis an mbean labhair sé léi.

'Táim ag iarraidh teacht ar Ascaill an Droichid. An mbeadh aon eolas agat ar cá bhfuil sé, le do thoil?'

'Níl eolas ar bith agam, is baolach. Gabhaim leithscéal leat,' a fuair sé mar fhreagra.

Níorbh é an freagra a bhain geit as Malcolm ach a

tuin chainte. Níor Shasanach an bhean seo in aon chor, ach Francach.

'Ó mo leithscéal leat,' a d'fhreagair sé. Dhein sé gáire beag. 'Glacaim leis nach Sasanach tú in aon chor?'

'Tá an ceart agat,' ar sí. 'Tá seaneolas agam ar áiteanna eile sa chathair, ach níl aon eolas agam ar an gceantar seo, ná ar Ascaill an Droichid.'

Chuimhnigh Malcolm nár phóilín é a thuilleadh. Ba dheacair cnámh a bhaint as clab an tseanmhadra. Ghabh sé buíochas léi arís, agus d'fhág sé slán aici.

Cérbh í an bhean seo? Bhí flúirse Béarla aici. Níorbh í iníon Havers í. Ró-aosta. Agus níorbh í máthair na hiníne í, ach an oiread, mar nach raibh sí aosta go leor.

Thug sé aghaidh ar an mbaile. Agus é ina theach féin chuir sé glao ar George Gibson.

'Is é rud is fearr a dhéanfása anois, Malcolm,' a dúirt an bleachtaire Gibson leis, 'ná dearmad a dhéanamh ar Havers agus ar a iníon i mBiarritz freisin, más í a iníon í in aon chor. Tá do chuidse déanta agat. Dáiríre, níl a thuilleadh suime againn i Havers anois. Ní bhfaighidh sé aon phingin rua ón gcomhlacht árachais. Is leor sin mar phionós air go fóill. Tá an-seans go bhfuil sé féin agus Bianca bailithe leo. B'fhéidir go gcloisfear uathu arís i gcathair éigin eile, agus b'fhéidir nach gcloisfear. Deinimis dearmad orthu.'

'Maith go leor, George. Oíche mhaith agat.'

20

Nuair a thuirling an scairdeitleán ag aerfort Mhanchain go luath tar éis am lóin, bhí JN sásta go maith leis féin. Bhí a chuid oibre déanta aige. Bhí dhá dhosaen go leith fótagraf tógtha aige. Bhí sé cinnte gur aimsigh sé an *Ristorante* Iodálach ceart. Ní raibh ach an t-aon cheann gar do *L'Église Ste. Eugénie.*

Bhí fótagraf aige den bheirt bhan a bhí ag obair sa bhialann, agus fuair sé pictiúr den fhear a thug na glasraí isteach chucu freisin.

Níor ghá filleadh ar an mbialann Iodálach an dara huair. D'fhreastail sé ar an gcluiche Bascach *Peileota,* agus bhí béilí blasta aige i mbialanna Francacha sa bhaile, agus buidéal fíon dearg le gach ceann acu. Dá mba rud é go raibh Nathy chun an bhialann Iodálach i mBiarritz a cheannach b'fhéidir go lorgódh sé féin post ann. D'oirfeadh an saol sa Fhrainc go breá dó.

Thóg sé an mearbhus ón aerfort go lár na cathrach. Trí ceathrú uair an chloig nó mar sin a bheadh ann. Ansin chuirfeadh sé glao ar Nathy Havers chun a rá leis go raibh sé tagtha abhaile agus a ghnó déanta aige.

Ní bhfaigheadh JN cuireadh dul chuige sa *casino*. Níor theastaigh ó Nathy go bhfeicfí bainisteoir an gharáiste sa *casino*. Mura mbeadh eolas ag daoine ar an nasc idir an *casino* agus an garáiste mar sin ab fhearr é.

Bheadh an bus ag dul thar an *casino* ar a bhealach isteach go lár na cathrach, ach thuig JN go maith nach mbeadh sé ciallmhar tuirlingt.

Ar éigean a chreid JN a dhá shúil. Ní raibh ach smionagar san áit ina mbíodh *casino* galánta

Nathy Havers. Bhain sin geit as má bhain rud ar bith riamh ina shaol. Ach ba chuma leis. Is as gnó an gharáiste a bhí a thuarastal siúd ag teacht. Ansin rith sé leis go tobann go mb'fhéidir gur cailleadh Nathy sa dóiteán, agus Bianca freisin, seans. D'fhéach sé siar trí fhuinneog chúil an bhus. Dada ach smionagar.

Nuair a thuirling sé den bhus i lár na cathrach ghlaoigh sé ar Nathy ach ní raibh aon fhreagra. Ghlaoigh sé ar Bianca. Bhí a huimhir aige cé nár ghlaoigh sé riamh uirthi. Bhuail sé amach na huimhreacha. Ní raibh aon fhreagra ón bhfón sin ach oiread. Ise marbh chomh maith?

Bheartaigh sé dul abhaile. Bhainfeadh sé trialacha eile as na huimhreacha níos déanaí. Ach ansin tháinig malairt aigne air. Dá mba rud é nár mharbh in aon chor a bhí Nathy agus Bianca ach gafa ag na póilíní, b'fhéidir go mbeifí ag faire ar a árasán faoin am seo. Ní rachadh sé abhaile go dtí go mbeadh dreas cainte déanta aige le Nathy, ar eagla na heagla.

Ghlac JN bus a thug amach go dtí imeall na cathrach é ar an taobh eile den bhaile ón áit ina raibh a árasán. Bhí tithe sa dúiche sin ina raibh gnó leaba agus bricfeasta ar siúl. Bhí a mhála taistil aige óna thuras go dtí Biarritz. Bhí sé in am ag Canterbury Joe babhta eile saoil a bheith aige.

Thriail sé uimhreacha fóin Nathy agus Bianca ansin gan staonadh ar feadh tréimhse ach fós ní raibh aon fhreagra ó cheachtar acu. Níor chodail sé puinn an oíche sin. Faoi mhaidin bhí a aigne socraithe aige. Nárbh é an mana seasta aige gurbh fhearr rith maith ná drochsheasamh?

Bhí rud éigin go mór as alt. Bhí sé in am do JN bailiú leis as Manchain. Ní rachadh sé go dtí a árasán chun a bhalcaisí a thabhairt leis ar chor ar bith. Má bhí Nathy agus Bianca gafa ag na póilíní bhí an-seans go raibh siad ag faire ar a árasán. Ach bhí beagnach naoi míle punt ina chuntas in Oifig an Phoist aige. Bhaileodh sé a chuid airgid ar maidin agus d'imeodh sé leis ansin.

Shocraigh sé na ceamaraí a chur sa phost go dtí Nathy ag a sheoladh baile. Bhí a sheoladh baile aige cé nach raibh sé riamh ann.

Dhein sé a ghnó in Oifig an Phoist.

Thug sé aghaidh ar an stáisiún traenach, agus cheannaigh sé ticéad singil go Londain.

21

Bhí triúr bleachtairí i measc na ndaoine a chruinnigh ar bhruach na huaighe sa reilig ina raibh Dessie á adhlacadh. Nuair a fuair siad a gcuid orduithe ón gCigire sa stáisiún ar maidin, meabhraíodh dóibh gur dúnmharú a bhí i gceist, fiú is nach raibh a fhios acu fós cén bunús a bhí leis, nó cén duine nó cén dream a bhí freagrach.

Chomh fada is ab eol do na póilíní ní raibh aon namhaid phearsanta ag Dessie. Nuair a shochraigh sé síos leis an mbean, Tina, d'éirigh sé as an mionchoiriúlacht a bhíodh ar siúl aige.

Nathy Havers is mó a bhí súil acu a fheiceáil. Nó Bianca. Dá mbeidís sin ann theastaigh ón gCigire go dtabharfaí 'cuireadh' go dtí an stáisiún dóibh.

Ach ní raibh tásc ná tuairisc ar Nathy Havers ná ar Bianca ag an sochraid, agus ní raibh duine ar bith eile i láthair ach chomh beag a raibh suim dá laghad ag na bleachtairí ann. Nuair a d'fhill siad ar an stáisiún dhein na bleachtairí cinnceadh an scéal a chur faoi bhráid an phobail. Dhéanfaí achaní ar an raidió.

Níor fhreastail Monica ar an sochraid. Bhí tuiscint níos fearr aici ná mar a bheadh ag roinnt mhaith eile ar an méid a bhí á fhulaingt ag Tina. De dheasca foréigin a bhásaigh a fear céile féin, Frankie, trí bliana go leith roimhe sin. Bhí sé socraithe ina haigne aici go rachadh sí chun na sochraide ach tháinig malairt aigne uirthi, áfach, nuair a chuimhnigh sí gur dócha go dtiocfadh Nathy ar thóir an airgid a bhí sa mhála taistil aici fad a bheadh an tsochraid ar siúl.

Ach níor tháinig Nathy le linn na sochraide, ná ag am ar bith eile. Ní bhfuair sí aon ghlao uaidh. Níor chuala sí dada faoi Nathy maith ná olc gur chuala sí teachtaireacht na bpóilíní ar an raidió.

Ba í Monica ba thúisce a bhuail an cloigín ar an doras ag teach cónaithe Tina maidin Déardaoin. D'aithin Tina í láithreach agus thug sí cuireadh isteach di.

Thug siad tamall i mbun comhrá.

'Tá gnó dúinne beirt, a Tina, in oifig dlíodóra ar Bhóthar Rochdale. Dúirt an dlíodóir go mbeadh sé ar fáil thart ar mheán lae.'

'Baineann sé seo leis an Uasal Havers?'

'Baineann. D'iarr an t-aturnae orm tú a thabhairt liom go dtína oifig.'

'Ceart go leor, Monica. Beidh deis agam buíochas a ghabháil leis an Uasal Havers. Seachas an míle punt uaidh a thug tú dom i marbhlann an ospidéil, bhí míle punt eile faighte agam ó Bianca. An bhfuil aithne agat uirthi siúd?'

'Níl. Níl aon aithne agam uirthi. Ach ní bheidh

Nathy i láthair, Tina. Tá socruithe de chineál éigin déanta aige.'

Nuair a tháinig beirt bhleachtairí go dtí doras Tina níos déanaí sa lá ní raibh aon duine ag baile.

Istigh in oifig an dlíodóra ar Bhóthar Rochdale míníodh do Monica agus do Tina gur dócha go raibh an tUasal Havers imithe as Manchain, agus nach mbeadh sé ag filleadh go ceann i bhfad b'fhéidir. Dúirt an dlíodóir gur tháinig an tUasal Havers chuige mar gur theastaigh uaidh a chuid maoine sa chathair a roinnt ar bheirt áirithe. Bhí a shíniú curtha aige leis na cáipéisí cuí, agus ní raibh aon bhac ar aistriú a dhéanamh ar a chuid maoine go dtí na daoine a bhí luaite sna cáipéisí aige. Bheadh roinnt cánach le híoc ar an malartú, ceart go leor, ach dúirt an tUasal Havers leis go raibh roinnt airgid ina theach cónaithe.

'Glacaim leis, Monica, gur thugais leat an t-airgead a bhí sa teach?'

'Dheineas sin. Tá sé i bhfolach agam in áit shábháilte.'

Thuig Monica anois cén fáth nár tháinig Nathy ar thóir a chuid airgid. D'fhág sé aici é chun na costais seo a íoc. Ní déarfadh sí os ard gur faoin staighre sa bhaile a bhí an mála. Ba léir anois go mbeadh sé le tabhairt ar láimh don dlíodóir.

'Ceart go leor,' arsa an dlíodóir. 'Tabharfaidh tú an t-airgead sin chugamsa, Monica?'

'Tabharfaidh mé, cinnte. Gan amhras,' a thug sí mar fhreagra.

'Go maith. Am ar bith a oirfidh duit. Am ar bith. Níl brú ar bith. Go raibh maith agat. Anois is é seo an chuid eile de mo scéal. Tá pé luach atá fós fágtha sa *casino* anois, nó pé méid airgid a bheidh le teacht ón gcomhlacht árachais, agus luach garáiste ar leis an Uasal Havers é, agus a theach cónaithe féin, le dul don bheirt áirithe seo le roinnt go cothrom eatarthu.'

Tháinig miongháire beag ar ghnúis an dlíodóra. D'fhéach sé ar an mbeirt bhan a bhí ina suí os a chomhair amach ar an taobh eile dá dheasc.

Ansin d'fhógair sé, 'Is oraibhse, Monica agus Tina, a roinnfear an mhaoin ar fad. Comhghairdeas libh, agus guím gach rath oraibh.'

Ba mhó go mór an aithne a bhí ag Monica ar Nathy Havers ná mar a bhí ag Tina. B'éigean do Tina a iarraidh ar an dlíodóir an scéal a mhíniú di ó thosach arís.

Bhí Monica ag smaoineamh ar an bhfear a thagadh ó thráth go chéile chun an oíche a chaitheamh léi, agus a chuireadh glac nótaí airgid ina lámh gach babhta a thagadh sé, gan teip. Dheimhnigh sí ina haigne go mbeadh an chuid dá mhaoin a gheobhadh sise á coimeád go sábháilte aici go dtí an lá a d'fhillfeadh Nathy. Is é a bhí in easnamh ar Nathy Havers ná bean a bheadh dílis dó, agus a thabharfadh aire dó. B'in é go díreach a dhéanfadh Monica nuair a thiocfadh sé chuici arís, seachas é a bheith ar seachrán ar fud an domhain, pé áit a raibh sé anois.

Chas Tina ina treo.

'An bhfuil sé seo fíor, Monica? An bhfuil an méid atá ráite ag an dlíodóir liom fíor?'

'Bí cinnte go bhfuil sé fíor, Tina. Bí cinnte go bhfuil sé fíor, a chroí.'

D'fhéach Tina ar an dlíodóir agus d'fhéach sí an athuair ar Mhonica. Is ansin a chaill sí pé smacht a bhí aici uirthi féin. Scaoil sí deora goirt go fuíoch léi.

Tamaillín níos déanaí, amuigh ar an tsráid shocraigh Monica agus Tina go rachaidís i dteannta a chéile lá arna mhárach chun go bhfeicfeadh Tina teach cónaithe Nathy Havers, ar leo beirt anois é. D'fhág siad slán ag a chéile.

Theastaigh ó Monica a bealach a dhéanamh amach go dtí teach Nathy. Bhí muintir an Chumainn um Shábháilteacht Ainmhithe le bheith ann faoina trí a chlog. Cheannaigh sí ceapaire i siopa Ocht go hOcht. Ba chóir go mbeadh caifé i dteach Nathy.

Nuair a shroich sí teach Nathy bhí nóta i mbosca na litreach ó fhear an phoist. Bhí beartán cláraithe aige a d'fhéadfaí a bhailiú ag an Oifig.

D'imigh an dá mhadra go breá múinte leis an bhfear ón gCumann um Shábháilteacht Ainmhithe. Chuir Monica an fógra ó fhear an phoist ina mála. Chas sí an glas sa doras. Maidin amárach nuair a bheadh sí ar a bealach ar ais go dtí an teach chun bualadh le Tina, rachadh sí go dtí Oifig an Phoist.

22

Ní raibh coinne ag Monica le Tina a bheith ag geata tí Nathy roimpi.

'Tina, mo leithscéal. An fada atá tú anseo? Gabhaim pardún agat. Chuas go dtí Oifig an Phoist ar mo bhealach anseo chun an beartán cláraithe seo a fháil. An fada atá tú anseo?'

'Nílimse ach díreach tagtha, Monica.'

'Níor mhaith liom go dtiocfadh fuacht ansin ort ag fanacht liomsa.'

'Ní baol dom. Ní baol dom, Monica. Ná bíodh aon imní ort fúmsa.'

'Isteach linn, más ea.'

Bhí litir ar an urlár taobh istigh de dhoras. Bhailigh Monica chuici í agus chuir sí ar an mbord í. Leag sí síos an beartán ó Oifig an Phoist ar an mbord in aici leis an litir.

'Tina, a chroí, is é rud is fearr a dhéanfása anois ná dul ar sciuird timpeall an tí i d'aonar. Rachaidh mé féin isteach sa chistin agus cuirfidh mé an citeal ag beiriú. Tá tae sa teach agus caifé, agus thugas bainne agus brioscaí liom. Fliuchfaidh mé an tae fad a bheidh tú ag gabháil timpeall an tí.'

'Ceart go leor, Monica.'

Nuair a bhí an citeal ag beiriú d'fhill Monica ar an seomra suite. Tharraing sí chuici an beartán ó Oifig an Phoist. Bhí ualach éigin ann, earra crua éigin. Bhí sé chomh maith aici é a oscailt. Ní bheadh Nathy ag filleadh go ceann tréimhse b'fhéidir. Bheadh sé ag brath uirthi siúd anois.

Thosaigh sí ar an mbeartán a shracadh as a chéile. Bhí sí ag gabháil de nuair a thug sí faoi deara nach raibh aon stampa ar an litir a bhí curtha aici ar an mbord. Gan seoladh ach an oiread. *An tUasal Nathy Havers* amháin a bhí air. D'oscail Monica an litir. Bhí nóta gearr istigh a bhí scríofa ar pháipéar oifige an *Salvation Army*. Agus bhí litir eile istigh faoina clúdach féin a raibh *Nathy* scríofa air leis féin.

Bhí 'Príobháideach agus Faoi Rún' ar an litir ón gcraobh áitiúil den *Salvation Army*.

A Uasail Havers,

Tháinig an litir leis seo ón bhFrainc inniu. Más mian leat go ndéanfaimis rud ar bith ar do shon sna cúrsaí seo bí cinnte teagmháil a dhéanamh linn.

Ádh mór ort.

Agus bhí síniú faoina bhun sin nach bhféadfadh an púca léannta féin é a léamh.

Litir eile ó iníon Nathy i mBiarritz a bhí ann gan aon amhras.

Ba leasc léi an litir ón bhFrainc a oscailt. Rudaí pearsanta idir a iníon agus Nathy a bheadh ann. Níorbh aon phioc dá gnó an rud príobháideach a bheadh á rá ag iníon lena hathair. Ach ní raibh a hathair ar fáil anois, agus bhí an chuma ar an scéal nach mbeadh sé ag filleadh. Cad ba chóir di a dhéanamh? Ní raibh a fhios aici. Ba leasc léi an litir a oscailt.

Tháinig Tina anuas an staighre.

'Aidhe, Tina, níl an tae ullamh agam. Bhíos ag féachaint ar an mbeartán agus ar an litir seo. Cogar. Déanfaidh mé an tae agus oscail tusa an beartán le do thoil. Cad é do mheas ar an teach?'

'Bhí gá ag an Uasal Havers le bean ina shaol, Monica. Tá a chruthú sin i ngach áit ar fud an tí.'

'Bhí bean ar fáil dó, mhuis, ach gan aon tsuim aige inti.'

'Mar sin é? Tú féin atá i gceist agat, an ea?'

'Mé féin, go díreach. Ach snámh in aghaidh easa a bhí ann dom.'

'Ach bhí tusa ceanúil air siúd?'

'Bhí mé thar a bheith ceanúil air. Ach ní dóigh liom go raibh misneach san fhear glacadh le haon bhean eile tar éis dá bhean chéile é a thréigean.'

'D'imigh sí le fear éigin eile?'

'Albanach ab ea é. Scéal fada. Cad a fuair tú sa bheartán, Tina?'

'Dhá cheamara, féach. Agus tá litir ghearr ann freisin. An léifidh mé amach é?'

'Dein le do thoil, Tina. Táimse ar mo bhealach chugat ar deireadh leis an tae.'

'A Uasail Havers', a deir sé.

Siad seo na ceamaraí ó Biarritz. Ní rabhas in ann teacht ort maith ná olc ar an bhfón, agus ní raibh aon fhreagra ó fhón Bianca ach an oiread. Ar mo bhealach isteach ón aerfort d'airigh mé an casino dóite go talamh. Ní bheidh mé ag fanacht sa chathair anois ós rud é nach féidir liom teacht ort. Tá m'uimhir agat.

Ba é ainm na bialainne i mBiarritz ná an Ristorante Génova, ach ní raibh aon Iodálaigh ann. D'éirigh liom pictiúirí a thógáil den fhoireann ann. Beirt bhan a bhí ann. Is Francaigh an bheirt acu.

Slán, JN.

'An bhfuil a fhios agatsa cé hé JN, Monica?'

'Ba eisean an bainisteoir sa gharáiste. Níor bhuail mé riamh leis. Is léir nach mbeimid in ann teacht air siúd anois ach an oiread. Caithfidh sé gur sheol Nathy amach go Biarritz é. Sin é iomlán an eolais atá agamsa.'

'Agus cén bhaint atá ag an mbialann i mBiarritz leis an Uasal Havers, an bhfuil a fhios agat?'

Níor thug Monica aon fhreagra. Bhí sí ag machnamh go dian. Ní raibh tuiscint rómhaith aici féin ar cad a bhí ar siúl.

'Gabhaim pardún agat, Monica. Táim rófhiosrach. Ní haon phioc de mo ghnó é. Bíodh an braon tae againn. Cén cineál brioscaí a cheannaigh tú? Aidhe. Kimberleys! Is breá liom iad.'

'Ní haon phioc de mo ghnósa é ach an oiread, Tina. Ach tá Nathy glanta leis.'

'Nuair a thug sé ár mbronntanais dúinn ar ndóigh caithfidh go raibh sé ina intinn aige go ndéanfaimis an rud ba chóir agus ba cheart a dhéanamh i gcás ar bith. Thuig sé go mbeadh sé ag brath orainne. I mo thuairimse níl sé de cheart agam aon rún a bhaineann le Nathy a choimeád chugam féin. Thug sé comhaitheantas don bheirt againn le chéile. Is ar bhonn na cothromaíochta a

tugadh an mhaoin dúinn. I mo thuairimse
ritheann sé le ciall go mbeadh Nathy ag brath
orainn oibriú as lámha a chéile. Dá réir sin táim
chun mo chuid eolais a roinnt leat.'

'Sín chugam an litir sin atá gar do d'uillinn ar an
mbord le do thoil, Tina, agus déarfaidh mé leat
céard atá inti.'

'Ní i mBéarla atá sé seo, Monica. Cén teanga í
sin? Conas a bheidh tú in ann í sin a léamh?'

'Is i bhFraincis atá sí.'

'Aidhe, bhuel, más ea, ní bheidh deacracht ar bith
agatsa léi. Is é sin mura bhfuil do chuid Fraincise
go léir dearmadta agat?'

'Ní baol go mbeadh sí dearmadta agam. Bhí sí
mar ghnáth-theanga agam ag baile sa Fhrainc go
dtí go raibh mé in aois a seacht déag. Ba ansin a
tháinig mé anseo go Manchain chun snas a chur
ar mo chuid Béarla. Monique ab ainm dom nuair

a bhí cónaí orm sa bhaile, ach is Monica a deirtear anseo. Ní raibh neart agam air agus ghlac mé leis mar ainm. Monica a deir gach duine liom anois.'

Léigh Monica amach an litir ó iníon Nathy.

Nuair a bhí deireadh déanta aici, labhair Tina amach.

'Aidhe, an bhean bhocht. Nach mór an feall é. Tá an saol thar a bheith dian uirthi. Thanielle, a deir sí, is ainm di. Nach ionann é sin beagnach agus Nathaniel, ainm a hathar?'

'Nach mar a chéile iad, Tina? Níl amhras ar bith faoi sin.'

'Cad ba chóir a dhéanamh, Monica? Dá mbeimis in ann teacht ar JN gheobhaimis roinnt eolais. Ach tá seisean bailithe leis.'

'Bhuel níl puinn eolais againn dáiríre. Tá seans gur chuir Nathy roinnt airgid amach chuici. Ach is ar éigean é. Níor dhein JN aon tagairt dá leithéid sin. Ag déanamh fiosruithe ar son Nathy a déarfainn a bhí JN. Caithfear féachaint ar na fótagraif. B'fhéidir go mbeidh roinnt eolais le fáil astusan.'

'Dúirt JN ina nóta gur ghlac sé fótagraif sa bhialann. An-seans gur duine acu sin iníon Havers.'

'An-seans. Aontaím leat. Ach, Tina, tá litir eile ón bhFrainc tagtha isteach anois. Caithfidh gur ó Thanielle í.'

'Níl sí oscailte agat. An bhfuil tú chun í a oscailt?'

'Is litir phríobháideach ó iníon go dtí a hathair í. Ní maith liom í a oscailt.'

'Ach níl a hathair anseo anois, Monica. Mar a duirt tú féin ó chianaibh is orainne atá an dualgas an rud cóir a dhéanamh, go háirithe nuair is eol dúinn go bhfuil a iníon ar an ngannchuid.'

'Tá an ceart agat, is dócha. Caithfear an litir a oscailt.'

Bhí an litir ina lámh ag Monica faoin am seo, ach fós níor theastaigh uaithi í a oscailt.

'Deinse do mhachnamh, Monica,' a dúirt Tina léi. 'Táimse chun braon tae úr a fhliuchadh. Tá sé seo fuar.'

'Sea. Tá sé fuar. Ormsa an milleán. Tá an iomad cainte á dhéanamh agam.'

Nuair a d'fhill Tina bhí an litir oscailte os a comhair amach ag Monica, agus bhí sí léite aici. Bhí deora lena súile.

'Éist leis seo, Tina. Fan go ndéarfaidh mé leat céard atá sa litir seo. Is litir mhór fhada í....'

23

Mura mbeadh Sophie mar chara ag Thanielle bheadh a misneach caillte aici. In ainneoin dhá litir a bheith seolta aici go dtína hathair i Manchain ní raibh gíog ná míog cloiste aici uaidh. Ní raibh dul as aici ach glacadh leis gur mar sin a bheadh. Ag cur a cuid ama amú a bhí sí. Bhí a shaol féin ag an bhfear sin anois, agus ba chuma leis faoi pé eachtra a tharla i mBiarritz tríocha bliain ó shin.

Cén dochar? Bhí Sophie mar chara aici. Bhí siad beirt dóchasach, níos mó ná dóchasach dáiríre, go dtiocfadh feabhas mór ar an teacht isteach le teacht an tsamhraidh. Bheadh gach rud i gceart fós. Ní raibh le déanamh ach an cloigeann a choinneáil, agus leanúint leis an obair.

'Is cuma cad a tharlóidh, Thanielle. Seasfaimid le chéile, gualainn ar ghualainn. Déanfar margadh úr leis an mbaintreach san Iodáil ag deireadh na bliana mura mbíonn iomlán a cuid airgid ar fáil di. Bí cinnte, Thanielle, go nglacfaidh sí le páirtíocaíocht. Cad eile a dhéanfadh sí?'

'Tá súil agam go bhfuil an ceart agat, Sophie.'

'Seo chugainn isteach ceathrar custaiméirí anois, ach go háirithe, Thanielle.'

Bhailigh Sophie biachlár an lae chuici agus chuaigh sí i dtreo na ndaoine a bhí tagtha isteach.

'*Bonjour, mesdames.*'

'*Bonjour,*' a fuair sí mar fhreagra.

Beirt bhan a bhí ann, duine acu meánaosta agus an bhean eile ní b'óige, agus beirt pháistí ina dteannta. D'airigh Sophie go raibh an bheirt bhan ag stánadh uirthi.

'Tá iasc úr ar fáil inniu, agus tá uaineoil againn, agus tá píotsaithe gan amhras agus sailéad. Agus tá neart rudaí nach iad ar an mbiachlár. Fágfaidh mé fúibh é go ceann tamaillín.'

'Oh, Mammy, can I have chips,' a d'fhiafraigh duine de na páistí.

D'fhill Sophie ar an gcistin.

'Cheapas gur Francaigh a bhí agam, a Thanielle, ach Béarla atá á labhairt ag na páistí.'

'Nach cuma cén teanga atá acu, má tá ar a gcumas ordú a chur isteach?'

'Fíor duit, Thanielle. An bhfuil aon rud cearr le m'fheisteas? Bhí siad ag stánadh orm amhail is dá mbeadh ceann capaill orm.'

'Ní fheicimse rud ar bith cearr leat.'

D'fhill sí ar na custaiméirí. Labhair an bhean mheánaosta le Sophie.

'Ar mhiste dom fiafraí díot, an tú Thanielle?'

'Ní mé. Sophie is ainm domsa. Tá Thanielle sa chistin i bhfeighil na cócaireachta. An bhfuil aithne agaibh ar Thanielle?'

'Bhuel, níl agus tá.'

'Cén chiall atá leis sin?'

Ní bhfuair sí aon fhreagra. Ordaíodh an bia.

Nuair a d'fhill Sophie ar an gcistin dúirt sí le Thanielle gur fhógair na mná ag an mbord go raibh agus nach raibh aithne acu uirthi, agus nár thuig sí cad a bhí i gceist acu.

'Bíodh acu,' a d'fhreagair Thanielle. 'Cad atá uathu le hithe?'

'Iasc do bheirt agus mionphíotsaithe don bheirt óg. Leathbhuidéal fíona, agus dhá dheoch oráiste.'

Nuair a bhí an t-iasc ar an sorn ag Thanielle agus

na píotsaithe san oigheann aici thug sí sracfhéachaint ó dhoras na cistine i dtreo na ndaoine sa bhialann. D'fhéadfadh sise a rá le cinnteacht nach raibh aon aithne in aon chor aici orthu sin.

'Nuair a bheidh na béilí réidh don bhord, b'fhéidir gurbh fhearr go dtabharfása chucu iad, Thanielle, féachaint an mbeidh rud ar bith le rá acu leat.'

'Ní dhéanfaidh mé ná é. Níl aon aithne agam orthu. Nuair a bheidh deireadh déanta rachaidh mé amach.'

Nuair a bhí a gcuid ite acu chuaigh Thanielle go dtí an bord.

'An raibh gach rud i gceart? Gach duine agaibh go breá sásta? Cad faoin dream óg? An raibh bhur ndóthain le hithe agaibhse?'

Ba í an bhean mheánaosta a thug freagra.

'Níl aon Fhraincis ag na páistí, ná ag mo chara. Tina is ainm di. Is Francach mise. Monique is ainm dom. Cinnte bhí ár ndóthain againn, gach uile dhuine againn. Agus bhí sé fíorbhlasta freisin, go raibh míle maith agat.'

'Is maith sin. Tá súil agam go dtiocfaidh sibh chugainn arís. Beidh fáilte romhaibh.'

'Bhuel, ní bheimid ag fágáil láithreach bonn ar aon chaoi. Glacaim leis gur tusa Thanielle?'

'Is mise Thanielle. Ach níl aon aithne agam oraibhse. Ní cuimhin liom gur bhuail mé riamh libh.'

'Tá an ceart ar fad agat. Níor chasamar riamh ar a chéile go dtí inniu. Is cairde le d'athair i Manchain sinn, agus táimid tagtha chun cabhrú leat le do chúraimí.'

24

Ní raibh smeach fágtha i Nathy Havers nuair a shroich sé barr an chnoic os cionn Chuan Bouley in Oileán Jersey. Gan áras gleacaíochta Mhanchain aige níos mó, ní raibh an dara rogha aige ach tabhairt faoi shnámh san fharraige, rith ar an trá, agus dreapadh ar chnoic chun sláinte choirp agus aigne a choimeád ann féin.

Dheineadh sé an snámh, an rith agus an dreapadóireacht gan teip gach uile lá. Ar chúis éigin ba dheacra an dreapadóireacht inniu ná lá ar bith eile. Chaith sé go raibh teas breise tagtha san aimsir. Sin nó an tseanaois. Luigh sé siar ar an bhfraoch ar bharr an chnoic chun sos a ghlacadh.

Bhí breis agus dhá mhí ann ó chuaigh an *casino* ina smúit san aer. Gaoth agus toit. Dá bhfanfadh Nathy sa chathair bheadh póilíní ag teacht chuige á cheistiú. Leanfadh ceist amháin ceist eile uathu, agus ansin níorbh fhada go mbeadh ceisteanna á gcur faoina ghnó.

Ní eisean a bhí freagrach i ndúnmharú an ghiolla dorais ar chor ar bith, ná aon bhaint aige leis. Bhí finné amháin ann a chonaic an méid a tharla. D'aimseodh na póilíní í siúd luath nó mall, nó thiocfadh sí as a stuaim féin chun cainte leo. Ach thuigfidís nach raibh aon bhaint, maith ná olc, ag Nathy Havers leis an eachtra.

Chinnteodh an bronntanas do bhaintreach an ghiolla dorais nach mbeadh sise ag méileach os comhair an domhain mhóir faoin méid a tharla. Le himeacht ama dhéanfaí dearmad glan ar nasc éigin idir Nathy agus an dúnmharú. Ansin, d'fhéadfadh sé teacht agus imeacht as Manchain arís. Amach anseo.

Níor thaitin muintir an oileáin puinn le Nathy, agus níor thaitin sé leis ar chor ar bith go mbíodh sé féin chomh díomhaoin le lúidín an phíobaire, lá i ndiaidh lae.

Bhí rud eile ag baint leis an oileán seo nár thaitin leis, ach chomh beag. Mí na meala le *Cuddles*. Ní fhéadfadh sé gan cuimhneamh ar bhonn laethúil uirthi. Dá mbeadh cónaí air in áit ar bith eile ar domhan ní bheadh aon chuimhne in aon chor aige uirthi. Mar sin ab fhearr go mór leis é. Ach ní raibh seans dá laghad go mbogfadh sé leis amach go dtí Las Vegas ná Miami. Coirpigh chruthanta ab ea gach uile dhuine a bhí sáite sa ghnó i Meiriceá. B'fhearr dó fanacht i bhfad amach uathu siúd.

Smaoinigh sé go raibh Oileán Jersey beagnach cruinn díreach leathbhealach idir Manchain agus Biarritz. Ní raibh tuarascáil JN faighte aige i ndiaidh a thurais ar an bhFrainc. É bailithe leis nuair a d'fhill an smuilcín ar an gcathair. Níor chuir Nathy aon ghlao, ar fhaitíos gur gafa ag na póilíní a bhí sé, agus go bhfaighidís amach cén áit as ar tháinig an glao. Bhí an fón póca múchta aige ó d'fhág sé Manchain. Chinnteodh sé gur múchta a bheadh sé go ceann tamaill eile.

Minic a dhóthain a chuimhníodh sé ar an mbean i mBiarritz a scríobh an litir chuige. Dá mbeadh sé gnóthach ní chuimhneodh sé uirthi. Cén fáth go ndéanfadh?

D'fhéach sé amach trasna an chuain ar feadh tamaill. Bhí sé ag machnamh go dian. Ní raibh aon tóir aige ar an saol díomhaoin. Níor thaitin sé leis a bheith in Jersey. Dhein sé a chinneadh. Ní raibh ann ach turas gearr ar eitleán go Páras. Bheadh traenacha ar fáil ann. Nuair a shroichfeadh a thraein Biarritz níor chóir go mbeadh aon deacracht rómhór aige bialann Iodálach cóngarach d'Eaglais Naomh Eugénie a aimsiú.